D1304422

DAS KLEINE KUNSTBUCH

édité per BERTHOLD FRICKE

HERMINE VAN GULDENER

Rijksmuseum Amsterdam

TRADUIT DU NÉERLANDAIS
PAR M. CLAIRE MOONEN-DUFOURCQ
AVEC 48 ILLUSTRATIONS EN COULEURS

ÉDITIONS KNORR & HIRTH GMBH
D-3167 AHRBECK/HANNOVER

Tous droits réservés, en particulier ceux de traduction et de reproduction. Impression et typographie: Imprimerie WILH. SCHRÖER & CO., *Seelze-Hannover. Reliure:* KLEMME & BLEIMUND, *Bielefeld. Photos en couleurs:* RIJKSMUSEUM, AMSTERDAM. *Printed in Germany. Volume de la Collection «Le Petit Livre d'Art» (‹Das kleine Kunstbuch›), éditée par* BERTHOLD FRICKE, D-3167 BURGDORF-AHRBECK.

©
KNORR & HIRTH VERLAG GMBH
1967, 1976, 1981
Printed in West Germany
I S B N 3 − 7821 − 3111 − 8

Le bâtiment dans lequel se trouve le Rijksmusée fut inauguré le 13 juillet 1885, mais dès 1862, une commission avait projeté la fondation d'un nouveau musée. Un concours fut ouvert, puis on jumela à l'idée d'un musée contenant des œuvres d'art de toute sorte, celle d'un souvenir historique. En 1813 en effet, à la fin de la domination française, les Pays-Bas avaient été proclamés indépendants et le Prince d'Orange appelé au trône. On eut primitivement l'intention de commémorer ce souvenir par des portraits et des tableaux qui seraient mis en valeur dans une vaste salle ou une grande galerie. On voulait pour le futur bâtiment un style qui fût en harmonie avec le caractère des œuvres d'art du XVIe et du XVIIe, et même le soulignât. P.J.H.Cuypers (1827–1921) qui après bien des controverses finit par devenir l'architecte du Rijksmusée, avait une admiration sans bornes pour le gothique. Mais un grand nombre de Hollandais du Nord considéraient que ce style n'avait rien de national. Dans son premier projet, Cuypers se montra de tendance fortement gothique, mais il tint compte de la mentalité de la commission officielle et conçut en supplément un deuxième projet de façade témoignant davantage de l'esprit Renaissance. Cuypers dut attendre 1876 pour avoir le titre officiel d'architecte du Rijksmusée. Il est évident que les expériences personnelles de Cuypers, les observations qu'il fit dans les autres musées, mais surtout les changements qui s'avérèrent nécessaires – comme le désir d'un bâtiment plus grand – l'amenèrent à transformer son projet primitif. Cuypers projeta un groupement des salles autour de deux cours intérieures, suivant en cela la conception de Jacob van Campen qui fut au XVIIe l'architecte de l'Hôtel de Ville, l'actuel Palais du Dam. Le visiteur d'aujourd'hui ne s'en apercevra guère. Le département des Métiers d'Art s'étant accru dans des proportions énormes, surtout après 1945, on a dû construire dans l'aile droite sur l'emplacement de la cour intérieure un bâtiment attenant aux autres salles. Malgré toute l'admiration qu'on peut avoir pour le style de Cuypers, il est évident que l'époque moderne a d'autres exigences en ce qui concerne la présentation d'objets d'arts nombreux et leur éclairage, et qu'il faut tenir compte également de l'accroissement de la collection. La solution la meilleure étant de concentrer en un point les œuvres d'art anciennes les plus représentatives du patrimoine artistique hollandais, et d'autre part l'agrandissement du bâtiment par une adjonction extérieure étant à peine pensable, on a adopté le point de vue qui consistait en un agrandissement à l'intérieur même du bâtiment. En 1969, on a procédé à une nouvelle présentation de la section historique dans la nouvelle construction occupant toute la seconde cour intérieure. Les salles de peintures bénéficieront aussi d'un agrandissement et on est en train d'aménager un espace qui sera réservé aux expositions. Une grande partie de la décoration intérieure a disparu pour répondre aux exigences de notre temps qui préfère des murs unis, sans ornements superflus.

Mais on n'a rien changé au caractère du bâtiment pris dans son ensemble et les façades subsisteront dans leur état actuel.

Si le musée doit son renom en partie aux peintures néerlandaises du XVIIe siècle, on y rencontre aussi des œuvres hollandaises antérieures ou postérieures, ainsi que des œuvres originaires d'autres pays. La sculpture n'a jamais connu en Hollande le même épanouissement qu'en France ou en Italie par exemple, en partie parce que la structure géologique du pays ne comporte pas de pierre. Le musée possède pourtant une intéressante collection de sculptures. Au XVe siècle en particulier, on a beaucoup sculpté sur bois. L'art de la tapisserie qui fut surtout pratiqué en France connut ici aussi au XVIIe siècle une courte période d'épanouissement. La richesse de la bourgeoisie au XVIIe siècle se reflète dans l'aménagement des maisons et dans les objets précieux qui étaient destinés soit à l'usage courant, soit à la décoration des demeures. L'argenterie, le verre, la célèbre faïence de Delft, ainsi que les magnifiques collections de porcelaine de Meissen et de porcelaine hollandaise du XVIIIe siècle accompagnent un riche ensemble de meubles et donnent une idée de la façon dont on vivait autrefois. Trois maisons de poupées – qui ne sont pas des jouets destinés aux enfants, mais plutôt un amusement de grandes personnes – complètent l'idée qu'on peut se former d'un intérieur vers 1700. Le Cabinet des Estampes dispose depuis 1945 de quelques salles où l'on expose régulièrement une partie du très riche fond de dessins et de gravures que le musée possède. Pour finir, une section d'art asiatique comportant des œuvres venant de l'Indonésie, de l'Inde, de la Chine et du Japon, transporte le visiteur dans un monde avec lequel les Pays-Bas ont eu pendant des siècles des rapports commerciaux, mais dont on n'a réalisé l'importance culturelle et artistique qu'à la fin du XIXe siècle et surtout au XXe siècle.

L'histoire de ces collections est souvent très compliquée. Les circonstances politiques et économiques, une faculté de prévoir plus ou moins développée chez les collectionneurs qui léguèrent leurs trésors, le goût sujet à des changements importants au cours des siècles, tout autant que les possibilités de plus en plus grandes d'augmenter nos connaissances techniques et historiques des œuvres d'art, tous ces facteurs jouent un rôle déterminant dans la composition des collections de musée.

Le goût de collectionner semble inné chez bien des gens. Mais notre connaissance des collections ne remonte en général qu'à quelques siècles. C'est ainsi qu'aux Pays-Bas, on a beaucoup collectionné au XVIIIe siècle. Le ‹stadhouder› (gouverneur) Willem V eut aussi sa collection. Celle-ci finit par aboutir au Louvre au moment de la Révolution et ne fut récupérée que beaucoup plus tard après de nombreuses négociations. Il restait également dans divers monuments de l'Etat de nombreux objets d'art qui valaient la peine d'être rassemblés et exposés. C'est en 1800 que le premier musée, la ‹Galerie d'art nationale›, fut ouverte au public. Ce musée se trouvait à La Haye dans le bâtiment qui porte encore le nom de ‹Huis ten Bosch›. Plus tard le musée fut transporté dans le ‹Buitenhof› qui avait été la résidence du stadhouder. Louis Napoléon proclamé roi de Hollande par son frère en 1806, s'intéressait beaucoup aux arts. Amsterdam qui était alors la plus grande ville du pays, devint la capitale. Depuis des siècles pourtant, les stadhouders avaient résidé à La Haye où se trouve d'ailleurs encore le gouvernement, conformément à la tradition. Louis Napoléon voulant faire également d'Amsterdam un centre culturel, le musée fut finalement transporté dans la capitale. Il eut d'abord son siège dans l'Hôtel de Ville qui se trouvait sur la place du Dam et qui avait été transformé en palais en 1808. La ville possédait beaucoup de tableaux ayant appartenu aux anciens gardes civiques et à d'autres guildes; quelques-unes de ces œuvres d'art furent transmises au nouveau musée. Parmi celles-ci se trouvent deux des plus célèbres tableaux de l'actuel Rijksmusée, tous deux de Rembrandt: le ‹Cortège des Gardes›, appelé à tort la ‹Ronde de Nuit›, et les ‹Syndics des Drapiers›. Entre-temps, certains achats de tableaux à des peintres de cette époque avaient enrichi la collection. Après le départ de Louis Napoléon qui s'intéressait particulièrement au musée, et après l'annexion des Pays-Bas à la France, la première période d'épanouissement est terminée.

Les années suivantes reflètent les troubles politiques et économiques qui régnaient alors et qui ne pouvaient favoriser le développement des institutions culturelles. Finalement le musée fut transporté dans le bâtiment qui a nom ‹Trippenhuis› et qui est actuellement le siège de l'Académie des Sciences. Le musée y demeura jusqu'en 1885.

L'histoire et la croissance d'une collection dépendent en partie du goût de l'époque. Il est donc logique que le musée actuel nous présente une image toute différente de celle qu'il offrait à l'inauguration en 1885.

Un musée a beau donner à première vue une impression de calme, d'immuabilité, lorsqu'on a le privilège de pénétrer plus avant dans le bâtiment, on en arrive rapidement à conclure qu'un musée est une ‹entreprise› extrêmement vivante.

Même si le Rijksmusée a pour but de conserver et de collectionner des objets d'art anciens, il témoigne en même temps, à l'aide de moyens modernes, que sous des formes toujours changeantes, soumises à l'esprit du temps et aux circonstances, les artistes ont créé des œuvres d'art capables de plaire à tous les temps.

Les quelques œuvres qui nous restent de cet artiste mort jeune appartiennent encore entièrement à l'esprit du Moyen Age. Sa vision est à peine moderne, surtout si on réalise qu'il est plus jeune que Léonard de Vinci et un peu plus âgé seulement que Dürer. Mais ces artistes vivaient dans des pays où existait depuis longtemps une tradition artistique. Geertgen est l'un des premiers peintres originaires des Pays-Bas du Nord, dont on sache le nom. Quelques artistes que l'avenir rendit célèbres, tels que Claus Sluter, Dirc Bouts et Hugo van der Goes y naquirent, il est vrai, mais ils gagnèrent les Pays-Bas du Sud où ils pensaient obtenir davantage de commandes.

De par leur situation géographique, les Pays-Bas du Nord correspondent au delta formé par les eaux du Rhin et de la Meuse et se sont donc développés assez tard. Comparée à la France, l'Italie, les Pays-Bas du Sud et l'Allemagne, cette région s'éveille seulement au XVe siècle. Il ne faut donc pas s'attendre à ce qu'un jeune artiste prenne part aux innovations de son temps qui sont la conséquence d'une attitude intellectuelle toute différente.

Pourtant cette Adoration est une œuvre personnelle. Nous savons par des documents que Geertgen aimait beaucoup la nature. Le paysage à l'arrière-plan, où l'on voit représentée suivant la tradition l'arrivée des rois, est assez artificiel, mais le fossé presque envahi par les herbes, et les bords de celui-ci, sont particulièrement bien observés. Même les oiseaux sur les murs sont la preuve que Geertgen aimait regarder la nature.

Suivant une tradition remontant à plusieurs siècles, le peintre n'a pas représenté des mages comme le dit la Bible, mais des rois, dont l'un est un noir depuis le XVe siècle. Dans les pays qui entourent la Méditerranée, on a toujours connu des noirs, mais ce n'est que lorsque l'on se mettra à étudier le monde de façon rationnelle, qu'on accordera plus d'attention à cette autre race. Apparemment, on a voulu symboliser par ces trois rois les trois parties du monde que l'on connaissait alors, ainsi que les différents âges de la vie. La Terre Sainte était connue grâce aux Croisades, pourtant le peintre n'a fait aucun effort pour suggérer l'Orient. L'idée qui domine est celle de la richesse et de la puissance s'inclinant devant la pauvreté de l'Enfant. Les proportions plus grandes de la Vierge assise accentuent son importance. Les arcades que forment la ruine et la porte à eau concentrent l'attention sur la Sainte Famille. A la manière dont les étoffes sont représentées, ainsi qu'aux nuances des couleurs utilisées, on constate que Geertgen était un fin coloriste.

1. GEERTGEN TOT ST. JANS
Probablement né à Leyde entre 1460 et 1465, mort à Haarlem vers 28 ans.

L'ADORATION DES ROIS
Bois, 90 × 70 cm.

Un artiste inconnu a réuni ici les deux idées de la mort et de la vie de façon tout à fait particulière. Cette œuvre a sans doute été commandée au peintre par des Augustins qui sont représentés ici sous forme de portraits, sans toutefois que l'accent ait été mis sur la profondeur psychologique. Devant leurs saints patrons, à gauche Saint Jérôme, à droite Saint Augustin, ils sont agenouillés près de la tombe ouverte au-dessous de laquelle on lit:

«Si quis eris qui transieris hac respice plora
Sum quod eris quod es ipse fui pro me precor ora.»

«Si tu passes ici, regarde et pleure. Je suis ce que tu seras; ce que tu es, je l'ai été. Prie pour moi, je te le demande.»

La fin du XVe et le début du XVIe siècle furent une période de bouleversements en Europe; la conscience du moi est de plus en plus aiguë, et le nouvel idéal de culture perd peu à peu le sens de sa dépendance divine et cosmique. Pourtant l'image destructive de la mort se présente sans cesse aux esprits comme un avertissement menaçant. Même en ce qui concerne la vie de Jésus, l'accent est davantage mis sur les tourments physiques du Maître que sur le triomphe de l'esprit sur la matière.

Ce qui fait le caractère singulier de cette œuvre, c'est que, tout en soulignant la fragilité de l'existence terrestre, l'artiste a évoqué aussi la splendeur du ciel par ce petit jardin paradisiaque où l'Enfant Jésus est à califourchon sur son cheval de bois, tandis que les anges font de la musique. L'enceinte du couvent semble située sur une hauteur, du moins la façon dont l'espace est suggéré le laisse supposer: une lumière vive inonde le haut des murs et pénètre par la porte du monastère.

Marie et Elizabeth sont assises sur un banc de gazon. Nous avons là une représentation très particulière de la Visitation. L'artiste a représenté une Elizabeth âgée avec beaucoup de finesse; habillée d'un lourd vêtement, la tête enveloppée d'une sorte de fichu, une canne à côté d'elle comme si elle avait eu du mal à plier ses genoux, elle est assise dans une attitude de respect vis-à-vis de Marie, pleine de grâce et de jeunesse. Une légère tension apparaît chez celle-ci, créée par les quelques lignes angulaires de son fichu. Une certaine raideur calme est conférée à la composition par les verticales et les horizontales de l'architecture et du banc. Les lignes droites frappent également dans les vêtements des six figures situées au premier plan. L'attitude passive qui en résulterait est contrebalancée par les diagonales et les courbes, ainsi que par la position asymétrique des figures les unes par rapport aux autres. L'attention du spectateur glisse insensiblement des figures vers Marie et Elizabeth, et vers le Paradis. Cette composition soignée et finement exécutée trahit un artiste mûr qui n'a sûrement pas produit ce seul tableau.

2. Maître de la Spes nostra
Ainsi appelle G.J.Hoogewerf cet anonyme, d'après le tableau reproduit ici. Cet artiste a sans doute exercé son activité à Delft à la fin du XVe siècle.

Allégorie de la fragilité des choses humaines
Huile sur bois, 88 × 104,5 cm. A fait partie de la collection Kleinberger à Paris, acheté en 1907 avec l'aide de l'Association Rembrandt.

Quand on regarde cette femme d'une élégance un peu affectée qui se trouve assise au pied d'un arbre, on ne pense pas immédiatement à un tableau religieux. Seule une certaine connaissance des traditions nous aide à reconnaître Marie Madeleine, qu'on avait l'habitude de représenter aux XVe et XVIe siècles aussi élégante que possible et tenant à la main une jolie boîte à onguent. Scorel qui demeurait à Haarlem aux environs de 1527 a sans doute exécuté ce tableau pour ‹l'Ordre de Saint-Jean› qui avait autrefois confié des commandes à Geertgen et qui devait avoir un culte particulier pour la Sainte. D'accord avec l'esprit de son temps et influencé par ce qu'il avait vu au cours de son voyage en Italie, il a mis l'accent sur la beauté de la Madeleine. Celle-ci était en effet d'après la Bible une femme légère, mais en mouillant de ses larmes les pieds de Jésus, en les essuyant de ses longs cheveux et en les couvrant de parfum, elle avait renoncé à sa vie passée. Qu'une sainte soit représentée avec tous les attributs de la vie à laquelle elle a renoncé, voilà qui témoigne à quel point le profane prend d'importance à cette époque dans l'Église même. L'idée de sainteté est néanmoins présente, si l'on en juge d'après la montée au ciel de la Sainte, esquissée de façon très vague dans le flanc de la montagne. Au XVIe siècle donc, à l'époque de la Réforme, le clergé n'a pas toujours tenu compte de la véritable signification des récits sacrés. Scorel qui était lui-même un ecclésiastique, a traduit à sa manière l'admiration qu'il avait pour l'art vénitien. Le paysage montagneux n'est plus une construction qui a été échafaudée dans un atelier. Scorel a vu les montagnes. Il a traversé l'Allemagne pour se rendre à Venise. De là il se rendit en Terre Sainte. A son retour le pape Adrien, qui fut le seul pape hollandais, le nomma administrateur des trésors du Vatican, ce en quoi il succédait à Raphaël. Ce voyage lui était encore présent à l'esprit quand il peignit cette Madeleine. La liaison figure-paysage était alors un nouveau motif à l'ordre du jour. Mais on n'aspirait pas encore à une véritable liaison. Sinon, la figure humaine qui retenait alors tellement l'attention eût été mise à l'arrière-plan. Mais plus l'homme sort de son isolement et devient le conquérant du monde, plus il a besoin d'espace, comme en témoigne ce tableau qui a encore été agrandi plus tard par l'adjonction d'une bande en haut du panneau. Scorel avait d'abord voulu donner à son tableau un caractère plus fermé. Quant aux couleurs de sa palette, elles trahissent nettement l'influence vénitienne. Toutefois on ne peut dire de Scorel qu'il soit un imitateur servile de l'Art Italien.

3. JAN VAN SCOREL
né à Schoorl en 1495, mort à Utrecht en 1562.

MARIE MADELEINE
Bois, 67 × 76,5 cm, vers 1527.

Ce qui retient notre attention dans un portrait datant de plusieurs siècles n'est pas la ressemblance avec quelqu'un que nous aurions pu connaître, mais bien davantage comment un artiste a su nous transmettre ce qui l'a frappé chez telle ou telle personne. Il y parvient, non seulement par une représentation minutieuse de son visage et de ses mains, mais surtout par le fait qu'il a su entrevoir une partie de la vérité vivante de cet homme et la traduire en formes, en rythmes et en couleurs en organisant tous ces éléments suivant une certain schéma de composition. Un grand artiste saura en outre mettre l'accent sur l'expression différente des deux moitiés du visage, l'une étant toujours plus calme, l'autre plus dynamique.

Ceci frappe également dans le portrait de Pompejus Occo, qui avait quarante-huit ans vers 1531. Riche banquier et négociant, il entretint même des relations avec le roi de Danemark, Christian II, qu'il reçût chez lui en 1521. Il possédait une précieuse bibliotheque et devait être particulièrement pieux, puisqu'il fit éditer un livre de prières.

Dirck Jacobszoon ne l'a pas seulement représenté comme une personnalité pleine de dignité, mais aussi comme un homme conscient de la fragilité des choses terrestres, qui toutefois n'a pas perdu espoir dans la vie éternelle. Telle est la signification de l'œillet que Dirck Jacobszoon a utilisé en même temps comme note de couleur contrastant avec les parties claires et foncées du vêtement. Bien qu'il ait rendu avec chaleur le violet foncé, le noir, ainsi que les parties beiges et noires de la fourrure, ce sont les taches lumineuses projetées sur les manches et le col qui forment les accents forts du tableau. L'arrondi souple du chapeau est relié à la tête par des diagonales. L'attitude des mains et la position du crâne de mort donnent de la profondeur au tableau, bien que – lorsqu'on y regarde de près – l'homme semble légerement coincé entre la balustrade et le mur qui se trouve derrière lui. Pourtant le paysage de fantaisie avec la ville qui s'étale à l'arrière-plan et le ciel avec ses nuages créent de l'espace et font oublier toute étroitesse.

Dirck Jacobszoon n'est pas, de loin, le seul artiste du XIVe siècle à avoir peint ses modèles sur un fond de paysage, bien que ceux-ci ne se trouvent pas réellement en plein air.

Assurément, Pompejus Occo sait ce qu'il veut, mais il n'a rien de vaniteux, il n'étale pas son moi. Ceci est mis en évidence par la présence du crâne de mort, ainsi que par le paysage du fond qui détourne l'attention de l'homme pour la diriger dans l'espace.

La composition autant que la technique picturale de ce portrait prouvent que le fils de Jacob Corneliszoon van Oostsanen (connu aussi sous le nom de Jacob Cornelisz. van Amsterdam, peintre et graveur sur bois renommé), fut un artiste plus important qu'on l'a cru jusqu'ici et qui mérite plus qu'une attention superficielle.

4. DIRCK JACOBSZ(OON)
né probablement à Amsterdam vers 1497, mort à Amsterdam en 1567. Elève de son père Jacob Cornelisz. van Oostsanen.

POMPEJUS OCCO
banquier, négociant et humaniste (1483–1537). Huile sur bois, 66 × 54 cm. Acheté à New York en 1957 grâce au legs de Jonkheer J. Loudon. Ce portrait a été exécuté vers 1531.

Sur le cadre de bois ancien et ouvragé, on lit que Pieter Bicker avait 34 ans en 1529. Il s'est fait représenter en train de compter et de contrôler de la monnaie. On sait qu'il fut riche, probablement brasseur de profession, et qu'il posséda à la fin de sa vie une savonnerie. Il fut probablement membre d'un Collège de Maîtres Généraux chargé de donner son avis sur la monnaie. Sa personnalité d'ailleurs intéresse moins le visiteur du Rijksmusée que la façon très particulière dont il est représenté, à la fois actif et rempli de dignité. Sans vouloir négliger l'importance donnée aux détails de la pièce et à la nature morte, on ne peut parler ici d'un tableau de genre. Les objets représentés ici symbolisent davantage des marques extérieures de dignité. Si l'on essaye de comprendre l'histoire du portrait en Europe occidentale, on en arrive à conclure que dans les régions du nord-ouest de l'Europe qui se sont ouvertes plus tard à la culture, le portrait a mis longtemps à devenir individuel. De nombreuses civilisations ont cru plus important de suggérer dans leurs portraits l'homme en général ou sa fonction, plutôt que de pénétrer sa personnalité particulière. La civilisation romaine du Bas-Empire connaît par contre beaucoup de portraits d'un caractère très individuel. Pourtant l'influence du christianisme qui met tellement l'accent sur la relativité de l'existence terrestre rejette de nouveau cet individualisme à l'arrière-plan. Ce n'est que plus tard, au Moyen Âge et surtout au XVe siècle que les traits individuels recommencent à dominer. La vanité, l'étalage du moi ne se manifestent pas ou à peine. L'homme est encore plus ou moins conscient de sa dépendance vis-à-vis du cosmos, vis-à-vis de Dieu. A l'époque de la Renaissance, ce sentiment disparaît peu à peu. En tout cas l'homme s'efforce de montrer à quel point il est important. Dans plus d'un portrait, il remplit l'espace de son moi, heurtant presque le plafond de sa tête. Ceci n'est pas dû à un défaut technique de l'artiste, mais les compositions de ce genre sont l'expression d'une certaine mentalité. – On rencontre fréquemment à cette époque des portraits dont les modèles sont peints en train d'exercer leur noble profession, ou encore à titre de savants, mais ceci disparaît au XVIIe siècle. Ainsi l'attitude de Pieter Bicker a pour but de montrer l'importance de sa fonction. Maerten van Heemskerck l'a placé un peu obliquement et construit la nature morte de façon à suggérer à l'aide de diagonales et de formes arrondies, une certaine tension, un peu d'action. La main qui tient le livre respire dans l'espace, grâce à la tache lumineuse qui suggère l'idée d'une vitre triangulaire. La main droite aussi est bien réussie et s'échappe librement de la manche grâce à une ombre légère. Bicker ne nous regarde pas encore avec cette assurance qu'auront les portraits du XVIIe. Les traits décidés de son visage, adoucis toutefois par le grand béret rond et le col de fourrure, nous montrent qu'il avait une haute idée de sa valeur et qu'il était capable de le confirmer par son travail.

5. MAERTEN VAN HEEMSKERCK
né à Heemskerck en 1498,
mort à Haarlem en 1574.

PIETER BICKER
Bois, 84,5 × 65 cm. Daté: 1529.

Lorsqu'après le portrait de P. Bicker on étudie celui de Sir Thomas Gresham qui fut exécuté une quarantaine d'années plus tard, on a l'impression de se trouver en face d'une personnalité. Le modèle se passe ici entièrement de l'accent que peuvent donner les attributs de la profession. Ceci n'est pas dû seulement à la différence de personnalité des deux hommes, mais aussi à une autre conception du portrait, d'un caractère plus moderne. Moro qui avait vingt ans de moins que Heemskerck était allé comme lui en Italie. Il devint le peintre de la haute société de cette époque et travailla à la Cour espagnole de Philippe II. Sans aucun doute, l'atmosphère de la cour a exercé une influence sur sa conception du portrait. Mais ceci n'explique pas son modernisme. Le XVIe siècle fut une époque de changements et de bouleversements profonds qui dominèrent la pensée occidentale pendant plusieurs siècles. La raison, la conscience grandissante du Moi menèrent à toute sorte de découvertes et de réformes. Dans le portrait à cette époque, on constate l'attitude de l'homme qui trouve normal qu'on s'intéresse à lui. Pourtant il n'a rien du bourgeois satisfait, tel qu'on le rencontre si souvent au XVIIe siècle. Le portrait au XVIe siècle témoigne encore d'une certaine réserve, il ne s'impose pas. Dans la deuxième moitié du XVIe siècle, le modèle est placé dans l'espace de façon moins rigide. Il se meut plus aisément. Il en est de même pour Sir Thomas qui est assis tranquillement dans son fauteuil sans aucune affectation. En lui faisant tenir des gants dans sa main droite, Moro a su habilement couper le mouvement des plis du vêtement par devant. De plus le peintre a traité soigneusement les étoffes, la peau, la barbe, suivant en cela l'esprit du temps pour lequel la description de la matière était un élément assez neuf. Moro n'est pourtant jamais méticuleux à l'excès. Quelque soit la matière qu'il traite, c'est le caractère vivant de l'ensemble qui lui importe. Les manches sont plissées de façon très différente. La moitié droite du modèle ainsi que le côté droit de son visage ont été rendus de façon beaucoup plus calme que la partie gauche. Seuls les plus grands artistes doués d'un regard pénétrant – à moins qu'il ne s'agisse de pure intuition – sont capables ainsi de mettre l'accent sur les deux expressions différentes d'un être humain.

Moro appartient au groupe peu nombreux d'artistes des Pays-Bas du Nord qui travaillèrent au service d'un souverain. Il possédait le sens du ‹représentatif› qu'on rencontre peu chez les artistes des Pays-Bas du Nord. Il a probablement peint ce portrait à Anvers où Sir Thomas était représentant financier de la reine Elisabeth d'Angleterre, fonction diplomatique s'il en fût. Dans sa correspondance, Sir Thomas fait mention de l'agitation politique accrue vers 1566–67 et des conversations qu'il eut avec de futures personnalités politiques de l'histoire néerlandaise, telles que le Prince d'Orange. Ce portrait nous intéresse donc à la fois pour des raisons esthétiques et politiques.

6. Anthonis Mor van Dashorst, dit Antonio Moro
né à Utrecht en 1519, mort à Anvers en 1575.

Sir Thomas Gresham
Bois, 90 × 75,5 cm.

Il ne reste plus de cette œuvre – dont les dimensions furent vraisemblablement importantes – qu'un maigre fragment, mais d'une qualité telle qu'il s'agit là sans doute d'un des chefs d'œuvre de Pieter Aertsz. L'artiste naquit à Amsterdam où il fit son apprentissage, mais passa une partie de sa vie à Anvers où il fut reçu dans la guilde de Saint-Luc en 1535. Il s'y maria et y acheta des maisons, ce qui prouve qu'il eut du succès. C'est d'ailleurs sans doute pour des raisons économiques qu'il se rendit dans les Flandres comme ses prédécesseurs qui étaient originaires des Pays-Bas du Nord. Cette région ne commence à se développer du point de vue économique et culturel que dans la deuxième moitié du XVIe siècle et s'épanouit pleinement au XVIIe. Peut-être de meilleures perspectives ont-elles rappelé Pieter Aertsz à Amsterdam. Il fut chargé en effet de peindre pour l'autel de la Nieuwe Kerk (Nouvelle Église) une Adoration des Bergers. Malheureusement par suite de l'iconoclasme, l'autel fut détruit en 1566. Seul ce fragment a été préservé de la destruction après avoir survécu à une deuxième catastrophe, à savoir l'incendie de l'Hôtel de ville en 1651. Il est possible qu'un autre fragment conservé à Berlin ait fait également partie de ce tableau dont on a beaucoup parlé. Même si nous ne connaissions pas d'autres œuvres de P. Aertsz., nous pourrions constater que le peintre, fidèle en cela à l'esprit de son temps, s'est davantage attaché à rendre son amour pour les hommes et les bêtes, que le contenu religieux de la scène. Sa représentation est assez réaliste. Toutefois ce réalisme qui en a fait un des premiers peintres de genre, n'était pas assez fort pour l'empêcher de tenir à certains types. Ainsi ce n'est pas la première fois qu'il peint ce genre de tête d'homme à barbe et à cheveux gris. Ici, il a particulièrement bien réussi à donner une expression vivante à son regard qui se tourne par-dessus la tête du bœuf vers l'Enfant vraisemblablement couché sur le sol. Un second berger plus jeune semble à demi suspendu au-dessus de lui, tandis qu'à droite on aperçoit placée obliquement au-dessus de la tête du bœuf la longue houlette d'un berger dont il ne reste plus rien. Pieter Aertsz est l'un des premiers peintres à avoir réussi à la perfection le portrait d'un animal. Toutes les nuances du poil de la bête tantôt rude et tantôt doux, humide au museau, le mélange de chaleur et de fraîcheur du museau rose taché de noir, la couleur sombre des yeux qui ont un air méfiant, tous ces détails témoignent d'un vrai sens de l'animal qui n'accompagne plus seulement la scène parce qu'il est une donnée traditionnelle. On a sans doute immédiatement reconnu le caractère exceptionnel de cette représentation, ce qui explique que ce fragment ait survécu à un iconoclasme impitoyable. C'est aussi la raison pour laquelle ce panneau a été scié de façon si étrange.

7. Pieter Aertsz., (Pierre Aertsen) *né et mort à Amsterdam, 1509–1575.*

L'Adoration des bergers *Bois (fragment), 90 × 60 cm.*

L'une des caractéristiques les plus frappantes de l'art du paysage hollandais au XVIIe siècle est la préférence marquée par les peintres pour les moments les plus statiques de la nature, comme la fin de l'été et l'hiver. Avercamp a dû connaître les paysages d'hiver qui ont fait la gloire de Pieter Brueghel dans les Flandres entre 1560 et 1568. Mais les personnages qu'Avercamp dispose sur la glace semblent beaucoup moins touchés par l'atmosphère glacée et la pauvreté de l'hiver, que ceux de Brueghel. Avercamp vivait à une époque différente, moins tendue, et peut-être le fait qu'il était sourd-muet explique-t-il son goût de l'observation. Il s'attarde davantage sur les figures humaines dans ses dessins particulièrement détaillés, que dans la plupart de ses tableaux. Dans ce paysage d'hiver, malgré l'abondance de détails descriptifs, la variété des attitudes et des costumes, les personnages font entièrement partie du paysage. Celui-ci a beau paraître très naturel, on hésite à reconnaître un pays inondé ou une rivière. C'est que le peintre travaillait chez lui ou dans son atelier, en combinant des éléments qu'il avait étudiés au dehors. Il composait ainsi une sorte de film, satisfaisant à un désir analogue à celui qui se manifeste aujourd'hui dans le journal filmé. Mais Avercamp est avant tout un fin coloriste qui a réussi parfaitement à suggérer dans ce tableau l'infini de l'espace, où les personnages semblent se dissoudre au loin dans l'atmosphère voilée. Les arbres n'ont rien de l'uniformité qui caractérise ceux que l'on voit dans les tableaux de certains paysagistes d'hiver. Ils ont un caractère vivant qui se manifeste jusque dans les diverses nuances de l'écorce, comme ce saule qui se trouve au premier plan en témoigne. Le peintre a choisi des tons bruns, gris, roses, un peu de bleu pour les bâtiments; les maisons en particulier s'harmonisent parfaitement avec le blanc aux nuances multiples. L'impression de gaieté est produite non pas tant par les personnages que par le rouge dont le peintre parsème allègrement sa composition. Les visages sont à peine dessinés et les attitudes n'expriment aucune gaieté. La hauteur de l'horizon signifie surtout qu'il est plus important pour l'artiste de rendre l'idée de paysage, que l'angle sous lequel il a été peint. On devine chez Avercamp un désir de construction ordonnée, obéissant aux lois de la perspective, mais ce désir n'est pas entièrement réalisé. Il faudra attendre pour cela la génération suivante.

8. HENDRICK AVERCAMP
*né à Amsterdam en 1585,
mort à Campen en 1634.*

PAYSAGE D'HIVER
Bois, 77,5 × 132 cm. Signé.

La mode au XVIIe siècle a une préférence marquée pour cette couleur noble et digne qu'est le noir et que bien peu de peintres savent rendre vivante. Seuls les très grands artistes, les véritables coloristes, savent traiter le noir si sombre et si sévère et parviennent à faire oublier son opacité. Frans Hals fut l'un de ces grands coloristes. On a même prétendu qu'il allait jusqu'à utiliser vingt-sept sortes de noir. Mais le terme de coloriste renferme plutôt l'idée de couleurs claires, parlantes. Et là encore, Hals a montré de quelle maîtrise il était capable. Au Rijksmusée, deux œuvres témoignent de cette clarté de palette: d'une part le portebannière du tableau représentant les gardes, tableau qui ne fut pas achevé par Hals, d'autre part le ‹Joyeux Buveur›. Dans les œuvres qui ne sont pas des commandes et où des enfants de pêcheurs et quelques types populaires bien marqués lui servent de modèles, Hals se montre avant tout portraitiste. C'est l'homme qui compte à ses yeux. Qu'il soit homme d'affaires, savant, ou plus ou moins bohémien, qu'importe? Ceci explique pourquoi la plupart du temps, les œuvres de Hals font très bonne figure à côté de portraits de cour peints par d'autres peintres renommés.

Le ‹Joyeux Buveur› correspond à un ancien nom assez mal choisi, car un examen plus poussé du tableau montre que cette gaieté est assez relative. La bouche entr'ouverte n'a jamais traduit le franc rire. La tête est riche en couleur et Hals a mis pas mal de vert dans les parties ombrées, comme cela se faisait dans l'Art Byzantin, et comme on peut l'observer chez maint expressionniste du 20e siècle. Les cheveux et la barbe sont traités avec beaucoup de légèreté dans la touche. La main qui s'avance et la manchette blanche en biais produisent un superbe effet de perspective. Cette main n'est d'ailleurs pas tendue vers le visiteur, elle semble au contraire vouloir le tenir à distance. Hals se montre ici tout à fait impressionniste par la couleur, autant que par les jeux d'ombre et de lumière. Une œuvre de ce genre a certainement influencé Manet. Le chapeau somptueux et les doigts recourbés qui tiennent le pied du verre situent à merveille cet homme dans l'espace. Le col léger et souple est traité par petites touches alertes. Certains ont cru reconnaître dans le médaillon un portrait du Prince Maurice. Hals a plutôt visé à obtenir un effet de couleur claire et a choisi la forme ovale pour essayer de rompre le côté un peu trapu de la silhouette, dû à la ceinture. Le cordon violet qui pend en biais sous le médaillon n'est qu'un détail fantaisiste et raffiné auquel il ne faut pas chercher de raison d'être particulière. Hals est célèbre, à juste titre, pour ses superbes portraits. Toutefois on observe chez lui un goût inconscient pour les abstractions, comme on l'observera également au XXe siècle, mais de façon plus consciente.

9. FRANS HALS
né à Anvers aux environs de 1580, mort à Haarlem en 1666.

LE JOYEUX BUVEUR
Toile, 81 × 66,5 cm. Signé; 1628/30.

La majorité des modèles dont Frans Hals fit le portrait n'ont rien ou presque rien signifié dans l'Histoire. Comment donc expliquer qu'une exposition de l'œuvre de cet artiste continue à nous fasciner? C'est que Hals comme Rembrandt fut un grand psychologue, même si certains le trouvent moins profond que Rembrandt. Celui-ci est un esprit qui pousse très loin l'analyse; il veut savoir et comprendre. Hals paraît souvent tranchant et direct, d'une nature ouverte. La dernière partie de son œuvre témoigne en effet de tant de spontanéité, qu'on l'a baptisé plus d'une fois ‹impressionniste›. Ainsi dans ce portrait, le col de dentelle légère – dont les connaisseurs sauront probablement reconnaître le patron – est fait de touches blanches et grises, des points noirs suggérant les trous de la dentelle. Un détail agrandi de ce col donnerait probablement une image presque ‹tachiste›. Les deux pointes blanches qui tombent sur l'épaule gauche accentuent l'effet de légèreté. Hals a utilisé beaucoup de gris dans ses blancs comme nous le constatons également dans la manchette blanche rendue à l'aide de quelques triangles-ce qui ne témoigne pas d'un faire très soigné – et qui semble complètement détachée de la manche. L'attitude de cet homme fait songer à un instantané. Au XVIIe siècle, les peintres suggèrent souvent l'espace dans lequel se trouve leur modèle – et qu'aucun détail ne précise – par un coude mis en avant. Hals s'est servi de ce subterfuge pour suggérer l'espace, mais en même temps, il semble y ajouter l'idée psychologique de réserve, de défense vis-à-vis du monde extérieur. Quand on étudie à fond ses portraits, qu'on compare l'attitude des bras et des mains, on finit par conclure que cette spontanéité de Hals et de ses modèles est surtout une apparence. Chaque fois on constate que ces attitudes expriment la réserve et un réflexe plus ou moins fort d'autodéfense. Son goût de l'observation vivante lui a fait mettre l'accent sur la différence des deux moitiés du visage et de leur expression. Hals a dû éprouver intensément que chaque être humain dans son mystère unique demeure aux yeux des autres une énigme plus ou moins impénétrable. En cela il est très en avance sur son époque, si avide de connaissance précise. En cela il est aussi très ‹moderne› et sait nous fasciner. Ces modèles qui sont souvent rendus avec un coup d'œil étonnamment juste, pénétrant et parfois même moqueur, gardent malgré tout leurs distances et bien souvent grâce à ce trait, ne manquent pas d'allure.

Cette forme d'esprit situe Hals entre l'Impressionnisme et l'Expressionnisme. Pour l'histoire locale et familiale, il est peut-être intéressant de savoir qui furent ses modèles, mais ce qui importe, c'est cette peinture brillante qui évoque le mystère humain.

10. FRANS HALS
né vers 1580 à Anvers, mort à Haarlem en 1666.

NICOLAES HASSELAER
Toile, 79,5 × 66,5 cm.

Lorsqu'on songe à la nature morte hollandaise au XVIIe siècle, ce n'est pas le nom de Frans Hals qui vient d'abord à l'esprit. Pourtant les objets représentés dans ses grands ‹Festins des Gardes› n'ont pas manqué d'intéresser certains peintres de natures mortes qui demeuraient à Haarlem. On ne peut qu'admirer aujourd'hui encore sa manière large de peindre et cette lumière qui joue sur les verres, fait briller l'étain et rend précieux les plus simples objets. Chez Hals toutefois, l'objet n'est plus que le prétexte à une composition où la forme, le rythme, la couleur et la lumière, dominent. C'est surtout dans les Pays-Bas du Nord qu'on a eu une préférence pour ce genre de compositions qui recréent la vie silencieuse, cette vie que l'on ne remarque souvent même pas. Ce genre de décoration s'explique en partie par une civilisation bourgeoise qui fait fi du monumental. L'amour de la maison et la prédilection pour un intérieur soigné sont aussi conditionnés par le climat. La nature morte composée d'objets simples domine dans la première partie du XVIIe siècle. Ainsi en 1647, Pieter Claesz a disposé sur une table recouverte d'une nappe blanche quelques objets d'étain, un grand verre, un petit pain, un poisson frit et un citron, une grappe de raisin et un rameau de vigne. Ce qui frappe d'abord, c'est la manière ample de peindre et la façon très moderne, inspirée sans aucun doute de Hals, de rendre les tranches de citron. Quelques lignes obliques, quelques pointes semblent suggérer le goût amer du citron, du moins si on le compare au citron juteux à souhait de Willem Kalf. Le petit pain, le poisson gras et les nœuds du verre sont rendus de manière presque ‹impressionniste›, ainsi que la nappe elle-même. Toutefois, le peintre n'a pas dissous toute la matière des objets dans un jeu de couleurs, comme les Impressionnistes au XIXe siècle. On le constate nettement dans le verre qui semble refléter une fenêtre et qui, malgré les effets de la lumière sur le liquide, donne une impression de stabilité très forte. Le couteau à côté de sa gaine, suggère la profondeur, tout comme les coquilles de noix et l'ombre du grand plat. Le rameau de vigne dégage en quelque sorte la nature morte du fond gris mat. La manière dont les objets sont disposés sur la table importe moins au peintre que le jeu des arrondis et les reflets de la lumière.

11. PIETER CLAESZ(OON)
né à Burgsteinfurt (Westphalie) en 1597–1598, mort à Haarlem en 1660.

NATURE MORTE
Bois, 64 × 82 cm. Signé; daté de 1647.

Au XVIIe siècle, beaucoup de peintres se sont adonnés à l'art du paysage. S'ils exécutèrent parfois leurs dessins d'après nature, il en est rarement de même pour leurs eaux-fortes et leurs peintures. Un mélange de fantaisie et de réalisme est souvent à la source de compositions très intéressantes. La plupart des œuvres connues de Hercules Seghers ont à première vue un caractère assez irréel. Une analyse approfondie de ses tableaux montre toutefois qu'en traversant probablement des régions montagneuses au cours de ses voyages, il a observé le paysage avec des yeux tout autres que ceux de ses contemporains ou de ses prédécesseurs, qu'au delà d'une vision superficielle, il cherchait une autre réalité. Tous ceux qui vivent en contact étroit avec la nature ont éprouvé que la vie est vouée à une transformation perpétuelle. Consciemment ou inconsciemment, ils se trouvent confrontés aux secrets invisibles qui provoquent ces changements, bref au mystère de la vie. Plus qu'aucun autre peintre du XVIIe siècle, Seghers semble avoir été captivé par ce processus de transformation. Chez lui, les jeux de lumière n'accentuent pas la tangibilité, la stabilité d'un paysage. Il paraît étonnant que cet artiste originaire d'un pays plat de ‹polders›, ait observé cette vie de la nature surtout dans les montagnes, alors que celles-ci sont considérées par la plupart des artistes du Nord comme des formes stables, solidement structurées. Mais Seghers fut élève de Gilles van Coninxloo et a certainement étudié les paysages montagneux des artistes néerlandais du Sud, parmi lesquels Brueghel semble avoir ressenti plus fortement qu'un autre la grandeur du cosmos. Pourtant Seghers qui fut surtout célèbre plus tard par ses eaux-fortes très originales, n'a pas dû non plus ignorer les graveurs allemands tels que Dürer et Altdorfer qui s'efforcèrent au début du XVIe siècle de représenter la grandeur de la nature. Peut-être faut-il reconnaître une préférence hollandaise dans le fait de reproduire une vallée au fond de laquelle coule une rivière? Dans ce tableau, c'est la couleur claire et surtout la ligne capricieuse du fleuve qui guide l'attention jusqu'au lointain. Les effets de soleil, réduits souvent à un point et un trait mince, rompent le caractère fermé du paysage. Les maisons aux toits rouges, quelques personnages et les petits arbres pointus font oublier la solitude qui plane sur ce paysage qu'un premier plan obscur et des arbres tronqués font paraître à première vue tragiquement sombre. Nulle part Seghers n'a mis l'accent sur les surfaces brisées des rochers, sur leur aspect tranchant, leur caractère inaccessibles. Au contraire, les rochers sont soumis à l'érosion du temps et du vent, le sol est sujet aux changements, le paysage n'est pas donné une fois pour toutes. Ce caractère changeant semble d'ailleurs déterminé seulement par les éléments qui agissent en surface et non sous terre. La découverte de la matière en tant qu'énergie date seulement du XXe siècle. Seghers s'en est certainement douté, en tout cas il l'a intuitivement pressenti.

12. HERCULES SEGHERS
né à Haarlem (?) en 1589/90, mort à La Haye (?) en 1638/40.

VALLÉE D'UN FLEUVE
Bois, 30 × 53,5 cm.

Les tableaux de Saenredam nous ont laissé de nombreuses représentations d'églises et de monuments qui sont autant d'images parfaites. Toutefois s'il ne nous avait laissé autre chose qu'une reproduction exacte de ce que son œil lui dictait, il ne nous retiendrait guère. C'est qu'il est en même temps un excellent coloriste. Malgré un faire minutieux, il sait animer des murs souvent nus, grâce aux subtiles nuances de sa palette et à la lumière calme qui éclaire ses compositions. Nous savons qu'il attachait beaucoup d'importance à la documentation. Sur ce tableau on lit la mention suivante: «Pieter Saenredam a d'abord dessiné ce bâtiment d'après nature en l'an 1641 et l'a peint en l'an 1657.» Ce qui veut dire qu'après l'incendie de l'ancien hôtel de ville en 1651, il a dû recourir à sa propre imagination pour obtenir une telle richesse de nuances dans la couleur des bâtiments. Jusqu'en 1940, ce tableau demeura dans le bureau du bourgmestre. C'est en 1648 qu'on décida de construire un nouvel hôtel de ville qui fût plus en rapport avec l'importance de la ville. Amsterdam fut en effet au XVIIe siècle, pendant un certain temps, le plus grand port d'Europe occidentale. L'ancien hôtel de ville dont la tour renfermait le bureau du bourgmestre était devenu beaucoup trop petit et tombait en ruines. L'herbe poussait entre les briques. Les murs s'effritaient. Saenredam a rendu cet effritement par des tons blanc jaune et gris, contrastant avec le blanc de la maison crépie qui se trouve à côté et qui n'est pas neuve, elle non plus. Les volets brun terne et le gris de la menuiserie des fenêtres ajoutent à l'impression vétuste. Toutefois, le rouge de la tour, une petite tache rouge foncé dans la jupe de la femme assise, une pointe de rouge sur le volet de la maison rose coupée à gauche par le bord du tableau, sont autant de notes claires qui, ajoutées au jeu des courbes et des diagonales, apportent un peu de vie à l'ensemble. Les pointes des toits et de la tour se détachent sur un ciel légèrement nuageux. Les maisons qui sont représentées à droite et à gauche le sont moins pour servir de limites à la composition que pour suggérer la rue qui continue à droite et à gauche. L'étrange objet gris suspendu au mur par une chaîne, est un os de baleine qui évoque les expéditions et le commerce. Pour Saenredam, il ne s'agit que d'une ligne grise, large et superbe, qui nous entraîne à porter le regard dans la rue transversale. Ce tableau est important pour l'histoire de la ville; comme chef d'œuvre, il n'en attire pas moins notre attention et est intéressant à comparer à Vermeer et aux peintres de ville qui se manifesteront plus tard.

13. PIETER SAENREDAM
né à Assendelft en 1597,
mort à Haarlem en 1665.

L'ANCIEN HÔTEL DE VILLE
D'AMSTERDAM
Bois, 64,5 × 83 cm. Signé.

Jan van Goyen est essentiellement paysagiste, bien qu'il se soit attaché dans sa jeunesse à meubler ses paysages de personnages particulièrement nombreux. Dans ses dessins également, on constate que l'animation comptait beaucoup pour lui. Mais ce sont beaucoup moins des représentations individuelles que des images destinées à faire partie d'un ensemble, et généralement subordonnées au paysage. Dans ce grand tableau, les trois personnages placés au bord de la colline ne sont qu'un moyen de nous faire regarder au loin. Les deux vieux arbres se détachant contre le grand ciel gris sont cette fois le motif principal. Dans l'histoire du paysage, cette œuvre occupe une place particulière, par le fait que l'on sent ici, beaucoup plus que chez les contemporains de l'artiste, que les arbres sont sortis de la terre et que les traces de vermoulure naissent du processus de pourriture qui a lieu à l'intérieur de ceux-ci. Ce trait est frappant si on compare ces arbres à ceux qui sont l'œuvre d'autres artistes. On constate chez ceux-ci que les arbres sont souvent posés sur le sol. Malgré une observation approfondie de toutes les particularités de l'écorce et de la feuille, l'essentiel reste limité à cette observation. Il est d'ailleurs tout à fait compréhensible qu'au XVIIe siècle, tandis que la raison et la découverte de tout ce qu'on peut observer dominent dans cette civilisation encore toute récente de l'Europe occidentale, les artistes aussi aient mis au premier plan la description des choses. Mais nous ne pourrions plus parler d'art si nous passions sous silence ce qui peut être ressenti sous l'apparence extérieure des objets. Dans certains tableaux et certains dessins, Van Goyen a mis à tel point l'accent sur ce monde invisible mais présent, qu'on a l'impression de se trouver devant des œuvres modernes. Les feuilles se composent en majeure partie de petites touches d'un ton gris brun et semblent comme détachées des branches. Toutefois Van Goyen a également utilisé du vert clair pour donner l'idée de feuille, mais alors ces feuilles sont presque triangulaires, de sorte qu'une tension légère leur est involontairement conférée. Il ne s'agit pas là vraisemblablement d'un procédé conscient. Dans ces arbres, l'artiste semble comme fasciné par l'âge avancé, la décrépitude, où l'on sent pourtant encore la force de vivre. Il est donc logique que Van Goyen se serve involontairement de touches légères, de formes et de lignes qui portent en elles-mêmes une tension. Des branches noueuses, sans feuilles, se détachant contre un ciel gris, dans un paysage solitaire, tel sera le paysage admiré par les Romantiques. L'homme du XXe siècle aime surtout en Van Goyen le sens de la vie, de la tension qui existe dans la nature.

14. JAN VAN GOYEN
né à Leyde en 1596, mort à La Haye en 1656.

PAYSAGE AUX DEUX CHÊNES
Toile. 88,5 × 110,5 cm; signé et daté: 1641.

Judith Leyster, l'une des rares femmes peintres du XVIIe siècle, ne le céda en rien à nombre de ses collègues masculins. On attribua même pendant longtemps beaucoup de ses œuvres à Frans Hals qui fut son maître. Frans Hals eut un grand nombre d'élèves, mais on retrouve chez bien peu d'entre eux la même spontanéité large qui fut à l'origine de sa célébrité. Judith Leyster, qui travailla avec lui en 1629, peignit ce portrait à l'âge de 20 ans. Dans le coup de pinceau large, on devine l'influence de Hals. Mais les jeux de lumière autant que le motif lui-même, font supposer qu'elle a subi l'influence des Caravagistes d'Utrecht et peut-être même travaillé auparavant avec Hendrick ter Brugghen. La production de ces peintres comporte plusieurs tableaux représentant des personnages pris aux trois quarts et jouant d'un instrument de musique dans une attitude souvent légèrement tournoyante. J. Leyster a essayé d'assimiler de façon personnelle ce qu'elle avait appris à Utrecht et à Haarlem. Toutefois, elle ne semble pas avoir apporté d'éléments nouveaux à la peinture des Pays-Bas du Nord. Mais une œuvre de jeunesse comme celle-ci témoigne de beaucoup de fraîcheur et d'une technique déjà très développée. Les effets d'ombre sur la tête, la lumière qui fait ressortir le blanc des yeux sombres et la blancheur des dents, donnent de l'esprit à cette image. Du bonnet à plumes recourbées s'échappent de longs cheveux châtains. La légèreté du col et des pointes des manchettes, l'éclat de la soie jaune vert, le ton rouge du pantalon bordé d'une mince bande jaune, tous ces détails contribuent à rendre l'ensemble très vivant. Judith Leyster a fait également bon usage des diagonales pour suggérer l'espace et le mouvement. Très peu d'artistes ont su évoquer le jeu même de la musique en conférant un rythme musical à la forme, aux lignes et à la couleur. Ce problème n'a d'ailleurs été posé consciemment qu'au XXe siècle avec le Cubisme. La plupart des artistes pensent que le fait de tenir un instrument suffit. Bien que la position des mains soit ici bien observée, Judith Leyster n'a pas réussi à suggérer la légèreté du jeu. L'ombre de la main droite est trop lourde. La décoration de la rosace a beau être rendue à l'aide de lignes courtes, le luth n'en reste pas moins trop massif. Ceci dit, il n'en reste pas moins que Judith Leyster a produit là à 20 ans un tableau qui retient l'attention et qui est plus remarquable que la plupart des tableaux du peintre qu'elle épousa en 1636. Celui-ci répondait au nom de Jan Miense Molenaer et fut également élève de Frans Hals.

15. JUDITH LEYSTER
née à Haarlem en 1609,
morte à Heemstede en 1660.

LA SÉRÉNADE
Bois, 45,5 × 35 cm. Signé et daté: 1629.

Dans les Pays Bas du Nord, c'est surtout au XVIIe siècle qu'on rencontre des vues de fleuves. Ni auparavant, ni plus tard les grands fleuves avec leurs bateaux et leurs bacs si typiques de l'aspect d'un pays de ‹polders›, n'ont constitué un sujet vraiment important pour les peintres. L'École de La Haye elle-même qui a reproduit à plusieurs reprises la région des ‹polders›, a plutôt choisi de rendre les prairies entrecoupées de fossés pleins d'eau, ou le pays marécageux. On chercherait vainement une explication à ce fait.

Le motif du paysage pur avec toute son atmosphère n'apparaît d'ailleurs qu'assez tard dans le monde occidental. Au début du Moyen Âge, le paysage existe seulement à l'état d'idée suggérée. Ce n'est que lorsque l'homme est capable de mettre de l'ordre dans ce qu'il voit autour de lui que l'intérêt pour le paysage se développe. A cette époque, la navigation sur mer et la navigation intérieure ont une signification importante dans la vie économique hollandaise. Nombre de ces vues de fleuve sont assez vivantes, pourtant on ne peut parler de véritable animation qui nous fasse sentir que les fleuves étaient et sont encore de véritables voies de commerce. Car les bacs qu'on aperçoit sur les tableaux de Esaias van de Velde et surtout chez Salomon van Ruysdael, servent surtout de repoussoirs. Leur raison d'être est de conduire l'œil vers le lointain et d'animer le paysage par la présence de personnages et d'animaux vivants. L'eau est rendue sans autres rides que celles qui sont nécessaires au reflet des arbres, des vaches et des gens. Le mouvement des bateaux est suggéré par les diagonales que forment les voiles et les drapeaux. On se demande d'ailleurs s'il est possible de faire de la voile par un temps si calme. Car si le peintre a traité les nuages et les arbres de façon que l'on sente passer le souffle du vent, l'on constate aussi chez lui un intense besoin de créer une atmosphère calme. Églises, bateaux, bac, eau du fleuve, rivage fuyant doucement au loin, tout respire en effet un calme puissant. Sans aucun doute, le peintre a bien étudié la nature et a joui de la lumière qui glisse à travers les feuilles ou semble caresser les troncs d'arbres. A l'aide de petites touches, il sait même rendre les vibrations de la lumière. Mais ce qui lui importe avant tout, c'est de recréer cette atmosphère vaste et paisible dans laquelle bêtes et gens semblent à peine émettre un son de temps à autre. L'artiste qui aime ajouter aux costumes sombres une note de rouge, a une palette assez claire qui donne à ses œuvres un caractère aimable et ensoleillé.

16. SALOMON VAN RUYSDAEL
né à Naarden vers 1600 ou plus tard, mort à Haarlem en 1670.

LE BAC
Toile, 99,5 × 135,5 cm. Signé et daté de 1649.

Comparé à son oncle Salomon, Jacob van Ruisdael apparaît plus lourd, parfois même d'une mélancolie toute romantique. Ce serait malgré tout une erreur de le traiter de ‹Romantique›. L'émotion qui ressort de ses tableaux est trop limitée pour cela. La question qui le préoccupait était de savoir comment la lumière accentue les formes et transforme la couleur. Ceci explique la lourdeur de ses nuages. La lumière a beau jouer au travers et autour de ceux-ci, on oublie qu'ils sont aériens, qu'ils peuvent se dissiper. Ils projettent des ombres noires sur le pays qui, suivant la composition traditionnelle, est construit en trois plans. Par là, les tableaux de Ruisdael ont un caractère assez fermé et il part à peine du principe de l'espace infini. Il rend avec plus ou moins de précision ce qu'il perçoit, sans jamais oublier de donner l'équilibre nécessaire à sa composition. Les paysages du XVIIe siècle sont souvent très remplis. Dans ce tableau où les roseaux penchent la tête au-dessus de l'eau, doucement agités par le vent, l'on évoque involontairement ces peintures chinoises et japonaises où un seul roseau se détachant sur un fond vaporeux suggère l'infini. Ruisdael a certainement connu un sentiment analogue, mais pour un occidental le plaisir éprouvé dans la contemplation de la nature était si neuf, qu'il n'est pas question pour lui d'une attitude philosophique réfléchissant sur la relativité de la matière. Et pourtant pour aucun artiste véritable, la matière ne peut être un but. Le moulin est un objet dont n'importe qui éprouve la réalité, mais le peintre jouit surtout de la lumière qui dégage pour ainsi dire ce moulin du ciel, et du contraste entre les formes arrondies et les contours nets. Le château, la tour et la maison constituent des éléments stables par rapport à l'eau ondoyante et au sol. Psychologiquement, les trois figures claires ne signifient absolument rien, mais par leur couleur et leur forme, elles sont aussi indispensables à la composition que la grande voile à gauche. Ces détails allègent le paysage. Comme chez beaucoup d'autres paysagistes, Ruisdael choisit de préférence la fin de l'été ou l'hiver, ces périodes où la nature semble moins active. Dans cette sorte de paysage, on rencontre rarement de fleurs dans la campagne, alors que les bouquets témoignent au contraire d'un goût certain pour les couleurs dans la vie courante. Au XXe siècle, beaucoup d'artistes partent du principe que le mouvement existe dans la nature, même s'il est invisible. Ils savent que la matière est énergie. L'artiste du XVIIe siècle considère davantage la nature de l'extérieur. Il est beaucoup moins – ou même il ne l'est pas du tout – conscient que ce qu'il perçoit est déterminé par des forces qui agissent en surface et à l'intérieur de la terre. Et pourtant des artistes comme Jacob van Ruisdael ont une vision des choses qui nous ouvre les yeux devant certaines beautés du paysage qui auraient pu nous échapper.

17. JACOB VAN RUISDAEL
Né à Haarlem en 1628/29, mort vraisemblablement à Amsterdam en 1682.

LE MOULIN DE WIJK BIJ DUURSTEDE
Toile, 83×101 cm. Signé, vers 1670.

Jacob van Ruisdael habitait depuis longtemps Amsterdam lorsqu'il peignit cette ‹Vue de Haarlem›. La distance entre ces deux villes n'est pas bien grande, et il est évident qu'il a dû retourner plus d'une fois dans sa ville natale. Nous savons qu'il aimait les voyages. Il est allé en Allemagne occidentale et dût faire un séjour assez long en France, puisqu'il fut promu docteur en médecine en 1676 à l'Université de Caen. On ignore à peu près tout de ses activités de savant et de médecin. Il est beaucoup plus connu comme peintre et graveur de paysages. Son père Isaac et son oncle Salomon furent également peintres. Depuis son enfance, la technique du paysage lui était familière. Haarlem était alors une ville florissante où beaucoup de Flamands étaient venus se fixer au début de la guerre de 80 ans avec l'Espagne; elle procura à de nombreux artistes de quoi subsister avec plus ou moins d'aisance. Beaucoup de fabriques de toile et de blanchisseries s'y étaient installées à cause de la qualité de l'eau des dunes. Jacob van Ruisdael aimait se promener à travers les dunes et fut sans doute souvent fasciné par la vue de Haarlem qu'il apercevait d'une hauteur, par delà les champs de blanchissage. Aujourd'hui, il reste un endroit d'où l'on retrouve à peu près cette vue. Les champs de blanchissage ont disparu, mais au printemps, des champs de tulipes et de jacinthes les ont remplacés ici et là. L'horizon est pris de très bas, ce qui a permis à Ruisdael de peindre un grand ciel avec de gros nuages qui projettent leurs ombres sur la campagne. Un rayon de soleil passe au travers, ce qui donne plus de relief aux maisons au-dessus desquelles émerge la haute nef de Saint-Bavon. Quelques moulins se dressaient sur les remparts de la ville; le peintre a parsemé aussi la campagne d'h,iles blanches pour donner l'idée d'espace. Les longues toiles blanches étalées dans les prairies ajoutent encore à cette impression. Les toits rouges des maisons situées à gauche forment une note de couleur chaude dans ce paysage sombre qui, malgré la distance éloignée de l'horizon, n'en montre pas moins un caractère assez fermé. La ville est entourée d'une bande verte compacte. Les maisons qui se trouvent au milieu des champs sont en partie dissimulées par les arbres qui les entourent. Grâce aux toits penchés et aux tours pointues, l'artiste a su donner du piquant à sa composition. Car on a beau reconnaître sans hésiter la ville et ses environs, toute la composition du tableau trahit une peinture d'atelier. Sans aucun doute, Ruisdael a dû faire des esquisses en plein air. Mais l'artiste les utilisait pour soutenir son imagination et sa joie à rendre les nuances du clair-obscur.

18. Jacob van Ruisdael
né à Haarlem en 1628/29, mort à Amsterdam (?) en 1682.

Vue de Haarlem
Toile, 43 × 38 cm. Signé. Vers 1670.

Sur l'une des planches de la barrière, on aperçoit la signature très nette de Paulus Potter. Il pouvait d'ailleurs être fier d'être déjà connu à 24 ans comme peintre animalier. Ce faisant, il choisissait un motif nouveau, qui eut beaucoup de succès et fut très imité. Ce goût pour les animaux correspond peut-être aux investissements dans les terres, fréquents à cette époque, et à l'intérêt que manifestaient beaucoup de marchands pour l'assèchement des polders. Maint homme d'affaire allait se délasser à la campagne. Fier de sa propriété, des animaux qu'il élevait sans doute, quoi d'étonnant à ce qu'il ait voulu en posséder des images? L'intérêt pour les chevaux a toujours existé, ainsi que pour les autres animaux, mais ou bien il s'agissait de cavaliers à cheval, ou bien de l'âne et du bœuf dans la crèche. Les chiens et les oiseaux divertissent l'homme. Potter fait des portraits d'animaux. Il place des vaches et des chevaux dans une prairie. Il essaye de les rendre comme il les voit, sans y ajouter la présence d'êtres humains. Il semble avoir une prédilection pour l'atmosphère de l'été. Bien que certaines œuvres laissent supposer qu'il s'agit de commandes, il a peint d'autres compositions avec des cerfs, des chèvres et des chiens qui montrent qu'il aimait beaucoup les bêtes. Dans ce tableau, une averse se prépare, le ciel s'assombrit, le vent se met à souffler et les chevaux qui sont debout, semblent animés d'une tension nerveuse. Potter a essayé de faire apparaître cette nervosité surtout dans les deux têtes, les crinières qui flottent et les queues qui s'agitent. Mais les pattes sont comme rivées au sol et trahissent à peine un tremblement nerveux. A cet égard, le cheval blanc est plus réussi. Le peintre était encore jeune, il avait beau être le fils d'un peintre et connaître le métier, il avait encore un regard neuf. A une époque où on accordait tant de valeur à la matière, aux formes plastiques, il a essayé d'exprimer une nervosité provoquée par les circonstances atmosphériques, dont l'effet est de dissoudre le caractère massif de l'animal, ou tout au moins de ne plus le faire sentir. Ce n'est qu'au XXe siècle que Franz Marc poursuivra de façon conséquente la résolution de ce problème. Il est déjà frappant de constater que Potter l'a posé. Il habita quelque temps près de Jan van Goyen à La Haye et a certainement su profiter de ses conceptions. En tout cas, chez van Goyen aussi, on peut observer dans quelques-unes de ses peintures et surtout de ses esquisses, à quel point il subordonnait l'anecdote à l'atmosphère. Mais ni Potter, ni van Goyen n'ont su éviter la composition en trois plans. Toutefois, on constate que Potter aime parsemer l'herbe de quelques fleurs. Pour les voir, il faut regarder de très près, il est vrai, mais elles donnent plus de vie à l'herbe qui est rendue par des touffes d'un vert assez vif. Au milieu de celles-ci, on aperçoit quelques fleurs jaunes, dont la couleur produit un certain effet dynamique, mais très minime, il faut bien le dire.

19. PAULUS POTTER
né à Enkhuizen en 1625,
mort à Amsterdam en 1654.

CHEVAUX AU PÂTURAGE
Bois, 23,5 × 30 cm. Signé et daté:
‹Paulus Potter f 1649›.

Rembrandt a choisi mainte fois ses modèles dans son entourage le plus proche. Doué d'une mentalité typiquement introvertie, il éprouvait le besoin de revenir sur une même personne, une même histoire afin de les traiter chaque fois de façon différente. Plus son expérience grandit, mieux il parvient souvent à caractériser une situation. Bien que Rembrandt ait représenté plusieurs fois sa mère, il semble dans ce tableau qu'il se soit moins arrêté sur la personnalité elle-même de sa mère que sur son attitude de liseuse. Il est peu d'artistes qui se soient penchés comme Rembrandt sur la signification d'un livre. Beaucoup de ses compositions expriment les différentes manières de lire. Il peut s'agir d'une lecture simple, d'une étude, ou bien la lecture fait réfléchir, enrichit l'homme intérieurement, lui apporte des arguments pour la discussion. Ici, il ne s'agit que d'une paisible lecture. Il est presque impensable de tenir ainsi un gros livre aussi lourd. Mais l'ombre accentuée de la main et de la tache sombre sur le livre, l'empêchent pour ainsi dire, de glisser. Le visage est tout juste suggéré. L'accent est posé sur les fines rides de la main qui est encore très vivante et semble plus vraie que nature. En s'attardant aux détails, Rembrandt n'a toutefois pas perdu de vue la grande ligne. Comparée avec l'effet de lumière sur le manteau de Jérémie, la lumière ici joue davantage dans les plis. De plus la lumière acquiert de la chaleur grâce à la couleur rouge foncé. Le reflet doré de la coiffe assez étrange, accentué par les lignes fuyantes et les larges plis du manteau qui s'étale sur la chaise, renforce l'impression d'activité spirituelle. Ce n'est probablement pas la première fois que ce gros livre est ouvert. La position qui est lègèrement en diagonale et la lumière qui semble glisser en avant, créent un effet d'espace; mais l'attention du visiteur ne reste pas accrochée au fond du tableau. Bien que le problème de l'espace et du rapport de la figure humaine avec l'espace, intéresse Rembrandt, ce qu'il cherche – inconsciemment – presque toujours à rendre, c'est une impression, une signification. Rarement il se demande: «que vois-je, moi Rembrandt?», ce qui supposerait que son œil reste accroché à un point précis.

20. Rembrandt Harmensz.
van Rijn
né à Leyde en 1606, mort à Amsterdam en 1669.

La mère de Rembrandt
Bois, 60 × 48 em. Signé et daté: ‹RHL 1631›.

L'un des éléments les plus frappants de l'art hollandais du XVIIe siècle, est l'apparition du tableau religieux qui n'est pas une commande de l'Église. Beaucoup de religions ont confié aux artistes le soin d'illustrer les récits sacrés. C'était un moyen de les faire connaître aux illettrés et d'éveiller chez ceux-ci le sentiment religieux. Mais les Pays-Bas du Nord étaient au XVIIe siècle en majorité protestants. On ne tolérait ni autels, ni images religieuses. L'intérêt que Rembrandt manifesta pour la Bible vient surtout de son désir de comprendre mieux l'homme dans toutes ses réactions. Les récits de la Bible, qui étaient partout connus à cette époque, lui apparaissaient très probablement comme des exemples classiques de problèmes humains. Le jeune Rembrandt s'intéressait particulièrement aux gens âgés. Leurs rides semblaient donner plus de contenu à leurs têtes. Rembrandt est encore très lié à la formation académique du temps, où la description des détails comptait beaucoup. Toutefois il n'est jamais esclave de ceux-ci. Dans ce tableau il a su rendre vivantes la tête ridée avec ses fins cheveux et la barbe effilochée. La vaisselle d'or et le large bord du vêtement témoignent déjà de sa passion pour le scintillement de la lumière. Le contraste de la lumière et de l'ombre, problème qui préoccupait beaucoup l'Europe occidentale à cette époque, fait penser ici à l'effet produit par un projecteur et fait ressortir le côté plastique des formes. Même s'il n'est pas vraisemblable que Rembrandt ait fait poser un vieillard dans cette attitude, il n'en a pas moins étudié attentivement ce type d'homme âgé. On connaît plusieurs dessins de l'artiste reproduisant le même genre de tête. Une comparaison avec ce tableau montre à quel point en travaillant, Rembrandt a su pénétrer profondément la personnalité de Jérémie qui, las et absorbé dans ses pensées, ne porte aucune attention à ce qui se passe à l'arrière-plan. L'éclat de la vaisselle, la diagonale formée par le bras, quelques plis cassés, enlèvent à cette attitude tout caractère passif. L'incendie de la ville, une grande porte avec des soldats, quelques silhouettes vagues ne forment plus qu'un fond, une explication à la solitude du vieil homme qui s'est retiré du monde. Cette partie du tableau, malgré la petitesse du format, montre nettement qu'inconsciemment Rembrandt aspirait aux grandes formes.

21. REMBRANDT HARMENSZ.
VAN RIJN
né à Leyde en 1606, mort à Amsterdam en 1669.

JÉRÉMIE PLEURANT LA DESTRUCTION DE JÉRUSALEM
Bois, 58 × 46 cm. Signé et daté: ‹1630›.

Comment composer un groupe en action? Tel est le problème qui préoccupe Rembrandt entre trente et quarante ans et qui ressort de nombreux dessins et eaux-fortes exécutés par l'artiste au cours de cette période de sa vie. Pour satisfaire à la commande de la guilde des Gardes, il fallait trouver une solution à ce problème qui cause encore souvent bien des difficultés aux photographes et aux cinéastes. Dans les Pays-Bas du Nord, où l'art de cour ne pouvait guère exister, c'est la bourgeoisie, groupée en associations, qui a voulu avoir des portraits collectifs. Fiers de leurs fonctions honorifiques, les bourgeois voulaient avant tout que leur importance personnelle et celle de leurs amis soit étalée au grand jour. Déjà au XVIe siècle les corporations de gardes ont leurs portraits collectifs sous forme de longues rangées qui font penser à des photos de ‹club›. C'est surtout au XVIIe siècle que les peintres s'efforcent de mettre plus d'action dans ces groupes. Mais seul un homme aussi obstiné que Rembrandt, oubliant la vanité humaine, a réussi à trouver la solution classique pour ce qu'est en définitive un groupe: unité dans la diversité. Personne qui ne compte sans le voisin. Primitivement, l'œuvre de Rembrandt était destinée à être exposée dans le coin d'une très grande salle. Il en a certainement tenu compte. Une analyse approfondie du tableau et des radios montrent clairement les changements apportés par Rembrandt à son œuvre afin que, vue de droite, elle apparaisse aussi vivante que possible. Les longues lignes formées par les armes souvent disposées en diagonale concourent à donner l'idée d'espace. Le jaune dynamique du costume du lieutenant est repoussé en arrière par l'ombre de la main du capitaine. Son costume noir éclairé par l'écharpe rouge et le col blanc, semble retenir tout le groupe à l'intérieur du cadre. Dans cette œuvre, Rembrandt a fait un usage raffiné des lignes, des formes et des couleurs dont il joue avec maîtrise. Par là l'ensemble produit une impression d'instantané. Si celui qui a commandé le portrait souhaite voir rendue son importance, il ne peut qu'être déçu d'une représentation aussi vivante où l'individu est entièrement soumis au groupe. Il est donc compréhensible que cette œuvre de Rembrandt ait été en général peu appréciée. Le nom très mal choisi de ‹Ronde de Nuit› est mentionné au XVIIIe siècle pour la première fois. Comparée à de nombreux portraits collectifs de contemporains, cette œuvre est relativement sombre. Il semble qu'on ait à peine – ou même pas du tout – remarqué cette géniale composition à l'époque de Rembrandt. On trouvait que Rembrandt n'avait pas assez flatté la vanité de ses modèles. Rembrandt a voulu donner l'impression que le groupe sortait d'un bâtiment sombre. Cette solution unique donnée au mouvement de marche en avant, ainsi que l'unité de ce groupe, ont rendu à juste titre cette œuvre célèbre. Toutefois dans ses peintures plus tardives, Rembrandt a de plus en plus réduit le mouvement pour mettre l'accent sur l'émotion intérieure.

22. Rembrandt Harmensz. van Rijn
né à Leyde en 1606, mort à Amsterdam en 1669.

La Ronde de Nuit
(La compagnie du capitaine Frans Banning Cocq, dite ‹La Ronde de Nuit›) Signé et daté: ‹Rembrandt f. 1642›. Toile, 359 × 438 cm.

Sur ce tableau datant de 1644 environ, l'artiste a représenté aussi une figure en train de lire. Ni les lettres, ni les lignes ne sont suggérées cette fois-ci. Pourtant, il s'agit d'un livre qui est lu avec attention. Certains éléments font voir la tension produite par la lecture, tels que le profil de la femme avec son nez pointu, un angle formé par le dos, et le petit triangle qui ressort du livre. Bien que la lumière qui inonde le blanc des pages contribue fortement à produire un effet d'espace, c'est la silhouette sombre, derrière laquelle est probablement placée une source lumineuse, qui empêche l'œil de rester accroché au mur. La vieille femme dont l'ombre très grande et anguleuse accentue la hauteur de la pièce, tient une corde dans la main qui lui permet d'imprimer au berceau un mouvement de bascule. Pendant les années de son mariage avec Saskia van Uylenburgh, Rembrandt a dessiné plus d'une fois des enfants, souvent en compagnie d'adultes. Ici aussi, il montre qu'il savait particulièrement bien observer les enfants. Le sommeil profond est suggéré non seulement par l'attitude de l'enfant, mais est accentué par les courbes légères de la couverture. Rembrandt n'a pas manqué de connaître ces compositions où Marie, sa mère Anne et l'Enfant Jésus étaient représentés ensemble et de façon assez solennelle. Mais comme il n'était pas question pour lui de commande d'église et que c'était l'humain avant tout qui le passionnait, il a transformé cette donnée à sa manière, avec ce qui l'entourait. Il est à peine plausible de voir dans la figure qui, au premier plan, est vue de dos et se penche en avant, la personne de Joseph. Les arrondis de cette figure étaient nécessaires pour combler le vide sombre sous l'escalier. La composition est bâtie sur un rythme de verticales, d'horizontales et de courbes en forme d'arcs. Les objets qui accompagnent la scène, ont été choisis par Rembrandt pour leur forme, plus que pour leur fonction. Ainsi la corbeille qui est suspendue au mur de gauche rappelle par sa forme le capuchon que porte la jeune femme. Primitivement, Rembrandt avait suspendu la corbeille au-dessus de celle-ci, mais l'effet était trop lourd, aussi l'a-t-il fait disparaître. Nous avons là un de ces ‹repentirs› typiques de Rembrandt, comme on en observe dans un nombre de ses compositions. La lumière a pour effet ici de mettre en relief l'idée d'espace, plus que les formes plastiques. Rembrandt a résolu de toute sorte de manières les oppositions de la lumière et de l'obscurité. Cette œuvre se situe entre une façon plus purement technique de traiter la lumière, comme dans le tableau de Jérémie, et les effets proprement psychologiques produits par celle-ci, comme dans le ‹Reniement de Saint-Pierre›.

23. REMBRANDT HARMENSZ.
VAN RIJN
né à Leyde en 1606, mort à Amsterdam en 1669.

LA SAINTE FAMILLE
Bois, 66,5 × 78 cm, reste de signature (vers 1644).

Dans cette œuvre, Rembrandt qui eut à surmonter lui aussi de grandes épreuves, montre ses brillants dons de psychologue. Si dans l'un de ses dessins plus anciens, il avait plus ou moins suivi le récit de l'Évangile en mettant l'accent sur la situation, ici, c'est le doute de Saint-Pierre qui forme le motif principal. Étant donnée la réaction de la femme qui tient une bougie à la main et qui le regarde avec une stupéfaction presque imbécile, il semble que Pierre ait répondu non à sa question: «étais-tu avec Jésus de Nazareth?» Le soldat qui porte une gourde à sa bouche ne croit pas à la réponse de Saint-Pierre. Celui-ci dont la main droite est dissimulée sous le manteau comme pour exprimer un léger effroi, hésite, et cette réaction semble soulignée par le geste de la main gauche. La peinture de cette main a quelque chose d'‹expressionniste› et une certaine largeur est conférée à la tête. Trente ans après le ‹Jérémie›, tous les détails sont maîtrisés; Rembrandt a construit la tête barbue avec de la lumière et de la couleur. La silhouette de Jésus entouré de soldats et de Grands-prêtres révèle également un caractère exceptionnel. Invisible aux yeux de Pierre, Jésus semble se retourner dans sa direction comme s'il sentait le moment où celui-ci le trahit, conformément à ce qu'il lui avait prédit. On distingue à gauche aussi une figure enveloppée d'ombre. Mais il s'agit là d'un soldat au visage assez vulgaire, qui semble adopter une attitude d'attente. Par la question que cette femme lui a posée, Pierre commence à se rendre compte du combat du Bien et du Mal qui se joue encore en lui, et qu'il est moins pur qu'il ne le pensait. Cette question posée dans l'inconscience, prend une signification importante. Rembrandt a certainement éprouvé lui-même quel sens profond peut revêtir une question posée par quelqu'un qui ignore tout des difficultés d'un autre. Il a dû voir en cette femme pure et naïve un outil de Dieu. La lumière qui tombe sur Pierre vient de son côté à elle. Elle suit son intuition. Elle s'est sentie obligée de poser cette question sans même savoir pourquoi. Rembrandt n'a pas utilisé la lumière pour faire ressortir les formes plastiques de sa tête, mais pour signifier sa disponibilité intérieure. De même les silhouettes de Jésus et du soldat semblent symboliser le Bien et le Mal, ces deux éléments que Pierre commence à distinguer. Par pure intuition, Rembrandt a donné ici une analyse psychologique. En tant que composition, rythme et couleur, cette œuvre appartient également aux plus beaux chefs d'œuvres religieux que l'artiste ait jamais produits.

24. Rembrandt Harmensz.
van Rijn
né à Leyde en 1606, mort à Amsterdam en 1669.

Le Reniement de Saint-Pierre
Toile, 154 × 169 cm. Signé et daté: ‹Rembrandt 1660›.

L'une des difficultés communes aux photographes et aux régisseurs lorsqu'il s'agit de disposer un groupe assis autour d'une table, est celle de la mise en place des mains et des jambes. Rembrandt a certainement étudié les tableaux de groupe de ses prédécesseurs où les mains, souvent réduites à de simples taches blanches, ou montrant un côté grimaçant, le frappaient par leur absence de fonction. Vingt ans après le ‹Cortège des Gardes›, Rembrandt s'est essentiellement préoccupé d'expression intérieure. Le mouvement extérieur de ces syndics groupés autour de la table est réduit au minimum. Chacune des figures représentées ne montre qu'une seule main, et encore pas dans son entier; quant au domestique qui est coiffé d'une petite calotte noire, il n'en montre aucune. Pourtant chaque geste exprime une réaction intérieure, et du point de vue de la composition, toutes les mains sont dirigées vers le livre. Rembrandt a parfaitement compris la signification de ce livre dans la réunion: il s'y trouve probablement des arguments permettant de réfuter quelque chose ou quelqu'un. Le geste du personnage central, celui qui a le visage le plus sévère, a nettement un caractère de réfutation. Son air sévère est d'ailleurs moins déterminé par son visage même, que par les lignes droites de son chapeau et la raideur de son col plat. Comme tous les grands artistes, Rembrandt s'est servi de formes inhérentes à certains objets pour rendre une expression ou l'animer. On est arrivé avec une certaine vraisemblance à établir une liste de noms, mais sans parvenir à savoir quel nom appartenait à tel visage. Rembrandt d'ailleurs nous passionne surtout lorsqu'à travers l'individu, il nous laisse deviner l'homme en général. Dans ce tableau encore, il a trouvé la solution classique pour représenter un groupe qui, cette fois-ci, est en train de discuter. Nous admirons ici encore l'unité dans la diversité. Il n'a sans doute pas été conscient de cette solution psychologique. Des esquisses de cette composition et des radios montrent les changements qu'il apporta à sa composition tout en y travaillant, changements qui se révèlent chaque fois comme étant des améliorations. Rembrandt a de plus en plus compris à la fin de sa vie que c'est la tension intérieure donnée à la forme, à la ligne et à la couleur qui produit l'expression la plus intense. Le livre n'est constitué que par deux petits triangles et quelques lignes. Les angles et les lignes nettes de la boiserie s'opposent à la masse formée par le tapis rouge qui recouvre la table. L'espace est suggéré par la lumière qui joue sur le mur et sur les cols blancs. Mais tout concourt à l'unité et au calme.

25. Rembrandt Harmensz.
van Rijn
né à Leyde en 1606, mort Amsterdam en 1669.

Les Syndics des drapiers
(Les ‹Staalmeesters›)
Toile, 191 × 279 cm. Signé et daté: ‹Rembrandt f. 1662›.

L'on a cru trouver le nom de ce couple; l'on a même pensé à une représentation d'Isaac et de Rébecca; toutefois l'on n'est même pas sûr qu'il s'agisse d'un portrait. Il est presque impossible, étant donnés les gestes du couple, de songer à une commande, même si dans le traitement des têtes on constate que Rembrandt s'est inspiré de certaines personnalités. Si l'on compare ce tableau aux nombreux portraits de couples exécutés au cours des temps, il est évident que Rembrandt a rendu ici comme pas un autre l'intimité, la chaleur des sentiments. Il est intuitivement trop bon psychologue pour ne pas réaliser que chaque individu, à côté d'une valeur personnelle qui lui donne son prix unique, est capable aussi de réserve, de respect pour l'autre. Au XVIIe siècle et plus tard encore, bien des portraitistes de couples ont mis l'accent sur la joie de vivre, souvent mêlée de sensualité, ou de dignité lorsque les modèles se font éterniser pour leur postérité. En dépit de nombreuses difficultés rencontrées dans sa vie, Rembrandt est resté attaché intérieurement aux valeurs positives. Ses dernières œuvres témoignent toutes de sagesse et d'un sens très vif de la relativité de la matière. Ceci l'a amené, en tant que peintre, à toujours simplifier sa manière de représenter les étoffes. Dans cette œuvre la mode n'est pas reconnaissable. Dans les vêtements, l'accent est mis sur la chaleur du rouge profond, activée encore par des pointes de jaune. L'homme qui, d'un geste prudent, cherche à attirer contre lui sa compagne, porte un habit dont la manche est d'un jaune étincelant et d'un modelé large. Pourtant ce jaune si dynamique est freiné par des tons plus sombres. L'attitude hésitante de la femme qui, l'air encore un peu rêveur, semble repliée sur elle-même, est suggérée par les contours anguleux de la jupe et cette large ligne en diagonale dont le mouvement contrastant a été réalisé au couteau. Les bijoux n'ont d'autre raison d'être que leur scintillement. Les mains sont rendues de façon très subtile, par un jeu de lignes très calmes. La façon dont Rembrandt a peint ce tableau, dont il a traité les couleurs, peut être considérée ici comme parfaitement ‹expressionniste›.

26. REMBRANDT HARMENSZ.
VAN RIJN
né à Leyde en 1606, mort à Amsterdam en 1669.

LE COUPLE DIT ‹LA FIANCÉE JUIVE›.
Signé: ‹Rembrandt›, fragment de date: f 16.. (vers 1665) toile 121,5 × 166,5.

La Synagogue portugaise d'Amsterdam a été bâtie en 1674/75 par Elias Bouman. Ce bâtiment d'une austère sobriété, entouré d'une rangée de maisons basses, constitue encore aujourd'hui l'une des curiosités de la ville. Même si les environs du monument ont subi beaucoup de transformations au cours de la dernière guerre et après celle-ci, on retrouve encore ici bien vivant, le souvenir de ce groupe d'émigrés portugais qui eurent une fonction importante dans la vie économique et culturelle des XVIe et XVIIe siècles. Il serait fort possible qu'Emanuel de Witte ait reçu d'un des membres de la communauté portugaise la commande de ce tableau qui devait représenter la nouvelle et grande synagogue. Un fait de ce genre n'a rien d'original, même si les preuves exactes manquent. Nous ne devons jamais perdre de vue le fait qu'on ne demandait souvent pas autre chose aux peintres que de nos jours aux photographes de presse. Emanuel de Witte s'est souvent consacré à la peinture d'intérieurs, en particulier d'intérieurs d'églises. Il étudie soigneusement la perspective, mais il est trop peintre pour ne pas vouloir aller au delà d'une construction purement mathématique. Un problème l'intéresse encore davantage: comment donner de la profondeur à un monument avec de la couleur, et surtout avec de la lumière, et de l'ombre? Rien d'étonnant donc à ce qu'il veille davantage à l'effet produit par la composition, plutôt qu'à la reproduction exacte du bâtiment. Ici, le bâtiment dans toute sa hauteur, avec ses nombreuses fenêtres et ses lignes qui s'étirent en longueur, est traité avec beaucoup de soin. Les personnages qui se trouvent sur la toile, ne comptent pas en tant qu'individus, ce sont des notes de couleur, des indications d'espace. Une figure qui revient souvent dans les tableaux d'Emanuel de Witte pour servir de ‹repoussoir› est celle qui, vue de dos, porte un long manteau bleu clair à revers rouges. Le geste décidé de la femme qui est coiffée d'un foulard blanc, ne sert en réalité que de réponse à une autre ligne. Les boiseries de chêne sombre sont éclairées par des ornements de cuivre, et les lustres imposants qu'on utilise encore aujourd'hui, rompent l'austérité de l'édifice grâce à l'élégance étincelante de leurs formes arrondies. Bien que les fenêtres aient été peintes comme si elles étaient presque bouchées, et qu'elles ne laissent presque rien voir de l'extérieur, De Witte a fait briller le soleil sur les murs et les colonnes. Les longs rideaux rouges et la figure claire qui se trouvent au premier plan produisent un effet de couleur chaud et vivant. Car malgré la présence de personnages, d'enfants et même de chiens, sans ces couleurs claires, l'atmosphère paraîtrait bien morne et accablante.

27. EMANUEL DE WITTE
né à Alkmaar vers 1617,
mort à Amsterdam en 1692.

LA SYNAGOGUE PORTUGAISE
D'AMSTERDAM
Toile, 110 × 98 cm.

L'œuvre de Willem Kalf forme un contraste frappant avec celle de Pieter Claesz. qui était d'une génération plus âgée. Ceci ne tient pas seulement aux personnalités totalement différentes des deux artistes, mais aussi au fait que la jeune génération d'acheteurs aimait davantage le luxe. Vers le milieu et dans le troisième quart du XVIIe siècle, on rencontre partout la même tendance à afficher la richesse. On constate dans les tableaux de Kalf à quel point les pichets d'argent précieux et la porcelaine chinoise ont dû être appréciés, on n'y sent jamais toutefois le goût quelque peu arrogant qui a dû régner dans certains intérieurs bourgeois de ce temps. La lumière jouant sur les formes capricieuses de ce pichet dans lequel se reflète un citron, tel est le problème qui préoccupe surtout Willem Kalf dans ce tableau. La lumière transforme la couleur et la forme, elle met l'accent sur la matière et la dissout, elle crée l'espace et fait ressortir davantage les formes plastiques des objets, sur un fond sombre. Les artistes sont toujours obligés de résoudre des problèmes d'éclairage et chaque époque cherche d'autres solutions. Au XVIIe siècle, tandis qu'une affirmation extérieure de la vie semble dominer, on étudie surtout le problème des jeux de lumière en tant qu'ils font ressortir la matière de l'objet. Même si les objets sont reconnaissables en eux-mêmes, c'est, s'il s'agit par exemple de citrons et d'oranges, leur caractère de fruits juteux et mûrs qui domine. Le jaune est apposé en pointes larges. Kalf utilise aussi la touche pointue de son pinceau pour rendre l'éclat et les courbures du pichet d'argent, ainsi que le porte-verre doré sur lequel brille un sombre verre à nœuds. Dans ce tableau également, on sent que Kalf jouit du scintillement de la lumière, et du jeu de couleurs riches et subtiles. Contrastant avec tout cet éclat, le bol de porcelaine bleu – dont la position est impensable dans la réalité – forme une note de repos. Mais le jeu de lignes rondes, ovales ou croisées qui ornent cet objet, lui donne un peu de vie; les noisettes pointues qui se trouvent à gauche, ainsi que la montre ouverte avec le ruban violet qui pend, visent au même effet. Le fond sombre et le bord assez massif de la table dont la ligne est plusieurs fois interrompue par les objets de la nature morte, la position du porte-verre au milieu de la composition, tous ces détails concourent à l'équilibre de l'ensemble. Une analyse poussée des formes et des lignes, sans oublier la décoration elle-même des objets, montre que Kalf choisissait ces détails de façon à peindre une composition particulièrement savante et très rythmique.

28. WILLEM KALF
né à Rotterdam en 1619,
mort à Amsterdam en 1693.

NATURE MORTE
Toile, 71,5 × 62 cm, signé: ‹W.Kalff›.

Peu d'artistes ont su aussi bien comprendre et représenter le monde des enfants que Jan Steen. Il va sans dire que les plus grands artistes ont su faire des portraits d'enfants qui sont de vrais enfants, même lorsque ceux-ci sont freinés par les exigences de la représentation s'il s'agit d'enfants de familles princières. Mais rarement les enfants ont été représentés dans leurs jeux, et encore moins avec leur côté espiègle. Pour en être capable, l'artiste doit non seulement être un excellent homme de métier, mais disposer également d'une mémoire visuelle particulièrement développée. On ne peut pas faire poser un enfant en train de jouer, et encore moins quand il se trouve avec d'autres enfants. Mais Jan Steen, à qui sa famille proche fournissait toutes les occasions possibles d'observer les enfants, possédait le don tout spécial de revivre ce qu'il avait observé. Un tableau comme cette ‹Fête de la Saint-Nicolas› en témoigne à merveille. Comme toujours et partout, les parents accordent ici aussi plus d'attention au plus jeune de leurs enfants. L'un d'eux a trouvé un fouet dans son soulier. Suivant l'usage, il recevra pourtant aussi un cadeau. A l'arrière-plan, on aperçoit une femme assez âgée, peut-être la grand'mère, qui tire le rideau de l'alcôve et fait un signe à l'enfant qui pleure. L'aîné des garçons tient sans façon le bébé sur le bras et montre du geste la cheminée sous laquelle un autre enfant chante. Les trois groupes de trois forment des triangles, comme on en retrouve d'ailleurs dans le reste de la composition. Ces figures géométriques ont pour objet d'accentuer la tension de la scène. Steen a fait un usage très raffiné du triangle dans la robe de la petite fille dont l'une des pointes se trouve relevée de façon impensable dans la réalité. Sans cette pointe, l'hésitation, réaction typique de l'enfant se demandant si elle ira trouver sa mère pour lui montrer ce qu'elle a dans son soulier, disparaîtrait. Le grand angle formé par le pli de la robe de la femme, ainsi que cette pointe de la robe de la petite fille sont indispensables à l'expression de l'ensemble. Le grand gâteau en forme de vitre, spécialité de la Saint-Nicolas, les biscuits, les fruits et autres objets étalés au premier plan dans un désordre simulé, montrent quel excellent peintre de natures mortes Jan Steen savait être. Il aimait les choses humbles de la vie quotidienne et les mettait volontiers au premier plan. Ceci n'a rien à voir avec la négligence dont on l'accable souvent.

29. JAN STEEN
né à Leyde en 1626,
mort à Leyde en 1679.

LA FÊTE DE LA SAINT-NICOLAS
Toile, 82 × 70,5 cm. Signé: ‹f Steen›.

Steen qui avait une prédilection particulière pour l'anecdote en général, a traité aussi plus d'une fois des sujets religieux. Là encore, il est avant tout le narrateur qui transforme à sa manière les récits de la Bible et qui n'a aucunement l'intention d'éveiller la dévotion par son œuvre. Pourtant cette Adoration des bergers, bien qu'elle n'ait été vraisemblablement destinée à aucune église ou chapelle, est pleine de respect pour l'Enfant nouveau-né. Seule la Tradition nous fait apparaître la Vierge et l'Enfant comme les figures centrales de la scène. Bien que la figure de Marie soit fortement accentuée par la couleur exceptionnelle de ses vêtements, Steen s'est moins arrêté sur l'Enfant que sur les jeunes bergers qui regardent la scène avec curiosité. Que de charme a ce petit garçon qui se trouve devant le joueur de cornemuse et qui, bouche bée, ose à peine s'avancer! Les couleurs de la Vierge autant que son attitude évoquent, par l'intermédiaire de l'École d'Utrecht, celle de Fontainebleau.

Nous constatons donc que Steen connaissait à fond l'art de ses prédécesseurs, mais qu'il a su soumettre ses expériences à sa vision personnelle. Bien que l'enfant n'ait rien de beau ni de raffiné, Jan Steen lui a donné une place centrale dans la composition. Le vêtement ample que porte Marie l'isole de tous ceux qui contemplent la scène. A cause de la grande courbe dessinée par le manteau et la couverture que la main de Marie soulève légèrement, l'enfant semble comme retenu, enfermé par sa mère. Suivant les lignes obliques de la crèche, l'œil se dirige ensuite vers le joueur de cornemuse. Les tuyaux de son instrument dirigés en sens contraire forment le même angle que la foule qui entre avec ceux qui contemplent l'enfant dans un silence religieux. Steen qui fut quelque temps élève de son beau-père, le paysagiste Jan van Goyen, a su évoquer de façon particulièrement heureuse dans le détail du ciel et de l'arbre, l'atmosphère du soir dans un vaste paysage. Le bœuf et l'âne, réduits si souvent à l'état d'attributs indispensables, sont ici rendus avec un véritable sens de l'animal.

Plus d'une fois, Steen a mis des animaux pour ainsi dire au centre de ses compositions; chaque fois, il retient l'attention grâce à la manière pénétrante avec laquelle il les observe, grâce aussi à la chaleur avec laquelle il les peint. À première vue, dans ce tableau, on est presque plus frappé par l'âne que par l'Enfant. Toutefois, malgré son amour des accessoires, et bien qu'il laisse parler son sens de l'humour comme dans la scène du fond où Joseph soulève son chapeau sans doute pour remercier la femme qui lui apporte des œufs, c'est sur le respect qui salue cette jeune vie à sa naissance que Jan Steen veut mettre l'accent.

30. JAN STEEN
né à Leyde en 1626,
mort à Leyde en 1679.

L'ADORATION DES BERGERS
Toile, 53 × 64 cm. Signé: ‹J Steen›.

En tant que sujet, cette femme debout qui verse du lait dans un récipient, n'a aucune importance. Pas une seule femme ne tiendrait à être photographiée, ou peinte en train d'accomplir un geste aussi quotidien, aussi insignifiant. Ce n'est pas non plus l'expression de son visage qui comptait pour le peintre. Si ce tableau attire encore chaque jour l'attention, ce n'est ni à cause de la femme ou du travail qu'elle accomplit, mais bien à cause de la manière dont il est peint. Les couleurs claires frappent tout d'abord, surtout si on les compare à la palette plutôt sombre des peintres néerlandais du Nord au XVIIe siècle. Comme beaucoup d'artistes de ce temps, Vermeer a étudié les effets de la lumière qui change sans cesse. Il a essayé de rendre dans ce tableau les vibrations de la lumière par d'innombrables petits points qu'on aperçoit aussi bien sur les vêtements que sur la nature morte. Par là il a conçu une sorte de ‹pointillisme› que les successeurs des Impressionnistes, les pointillistes du XIXe siècle, ont étudiée aussi. Grâce à ces points, Vermeer a su donner beaucoup de vie à cette atmosphère si calme. A cela contribuent aussi les formes arrondies des objets étalés sur la table. La position des mains et la ligne verticale du lait qui coule peuvent à peine être considérées comme l'expression d'un mouvement. Pour exprimer le mouvement, on a toujours pensé à des lignes ondulantes, à des cercles et à des diagonales; tous ces éléments constituent la nature morte. Ce n'est pas à l'aide de l'œuvre de Vermeer qu'on parviendra à identifier les objets qu'on ne connaît pas. C'est qu'ils lui servaient avant tout de moyens de composition. Ainsi la chaufferette de bois brun avec son creuset de terre rouge foncé est placée obliquement devant les carreaux de faïence blanc-gris, pour produire un effet de tension qui contribue à l'équilibre vertical. Le bonnet blanc et net est peint avec pas mal de gris. Vermeer a réussi parfaitement à placer les blancs les uns par rapport aux autres et à donner un ton riche au mur blanchi à la chaux. Les clous qui sont enfoncés dans le mur et les autres objets constituent des éléments importants, touts simples qu'ils soient, aussi bien au point de vue de l'espace que du coloris. Ce qui frappe le plus dans cette œuvre, c'est que Vermeer a réussi à traiter de façon monumentale une femme très ordinaire, ni belle, ni élégante, et douée d'un visage peu attirant. Voilà pourquoi elle est devenue le modèle de la femme aux activités calmes.

31. JOHANNES VERMEER
né à Delft en 1632,
mort à Delft en 1675.

LA CUISINIÈRE
Toile, 45,5 × 41 cm. Vers 1658.

Johannes Vermeer naquit à Delft et y demeura, autant qu'on le sache, toute sa vie. Il fut fasciné non seulement par ces figures calmes dans un intérieur, mais aussi par la ville. Des trois tableaux mentionnés par les archives, nous ne connaissons que les deux suivants: la grande ‹Vue de Delft› qui se trouve à l'heure actuelle au Mauritshuis (La Haye), et ‹la Petite Rue›. Cette dernière composition a été peinte des fenêtres de sa maison. Bien que cette œuvre témoigne d'un grand amour des détails, et d'une observation très soigneuse de la réalité, ce n'est pas le portrait exact des maisons qui en fait la beauté. Ce qui intéressait surtout Vermeer, c'était le passage d'une maison à l'autre et les effets d'espace. Cette vision pittoresque était très exceptionnelle à une époque où, dans la représentation des villes et des monuments, ce qui comptait surtout, c'était l'exactitude et le soin. Malgré la minutie avec laquelle Vermeer a peint chacune des briques, il n'est pas resté prisonnier des détails. Les nuances de couleur dûes à l'action du vent et des intempéries lui paraissaient beaucoup plus importantes. Les fenêtres qui sont peintes avec des tons bruns et noirs qui n'ont rien de transparent, ont pourtant de l'éclat et de la vie grâce au fin jeu de lignes et aux petits points. Pour donner l'impression que la maison à droite est une vraie maison – et pas seulement une façade – avec de la profondeur, le peintre a placé à gauche des constructions en perspective, mais surtout quelques personnages. Ceux-ci ne comptent pas en tant qu'individus, c'est leur forme, leur couleur qui importent. La silhouette assise dans l'encadrement de la porte donne, grâce au blanc, l'impression d'espace; le gris de la robe équilibre l'ensemble, tandis qu'une petite pointe de jaune sur le bras donne un accent dynamique. De même, les enfants et la femme qui se trouve sur le côté de la maison sont indispensables pour la composition et la profondeur. Le peintre a suggéré par un jeu de lignes que la rue est pavée de gros cailloux inégaux, mais n'en a dessiné aucun, de peur de détourner l'attention de l'intérêt principal du tableau qui est la richesse de couleurs d'une vieille maison comme celle-ci. Les verticales et les horizontales qui sont nombreuses, accentuent l'impression de calme. Par contre, on aperçoit beaucoup de diagonales et de formes pointues dans les fenêtres, dans les tirants de fer ancrés dans les murs et surtout à gauche dans la succession de pignons rangés obliquement les uns derrière les autres; tous ces détails contribuent à donner une tension vivante à l'ensemble. La couleur bleuâtre des feuilles qui couvrent une partie de la maison basse à gauche et où l'on aperçoit encore un peu de vert, vient d'une altération de la peinture qui se produit parfois. Cette altération de couleur ne fait d'ailleurs aucun tort à l'ensemble.

32. JOHANNES VERMEER
né à Delft en 1632,
mort à Delft en 1675.

LA PETITE RUE
Toile, 54,3 × 44 cm. Signé: ‹IV Meer›;
vers 1658.

Le calme qui règne dans ce tableau paraît encore plus prononcé que dans ‹la Cuisinière›. Ceci s'explique par le sujet lui-même, mais surtout par l'attitude toute différente de l'artiste. La lumière qui transforme la couleur, qui détermine les formes, mais les dissout aussi, tel est le problème qui s'est toujours posé aux peintres. Dans cette composition, Vermeer s'est limité à quelques couleurs et à quelques formes. Sans peindre de fenêtre, en faisant glisser la lumière sur le mur blanc, il a suggéré à gauche un vaste horizon. La carte brunie forme au contraire avec la table et les chaises un monde clos autour de cette femme. Celle-ci tient un papier dans la main, mais rien n'indique qu'il s'agisse d'une lettre. D'ailleurs la réaction psychologique du modèle n'était pas ce qui intéressait d'abord Vermeer. Il avait besoin de ces formes blanches et anguleuses que constitue le papier pour donner l'idée d'espace; il en est de même pour les nœuds de la veste et les ombres formées par le dossier de la chaise et le bouton rond qui termine la baguette de soutien de la carte. Vermeer est aussi un observateur trop consciencieux pour ne pas veiller à ce que le profil de cette femme exprime légèrement l'attention. Il a rendu avec beaucoup de finesse le nez pointu, la bouche entrouverte, l'œil baissé. Le nœud bleu qui dissimule en partie la joue est une diagonale mouvante qui conduit l'œil jusqu'au profil sensible, tout en faisant disparaître une surface assez pauvre. Vermeer a étudié la question du jeu des couleurs les unes sur les autres. La couleur du teint est déterminée par le bleu dont les nuances sont très riches dans la veste. Les boutons de cuivre font partie intégrante de ce genre de chaises, mais ces points jaunes ont permis à Vermeer d'ajouter un petit accent vivant qui contraste avec les formes horizontales et verticales. La chaise disposée obliquement et les objets posés sur la table donnent un peu de vie à cette atmosphère pure et calme.

33. JOHANNES VERMEER
né à Delft en 1632,
mort à Delft en 1675.

LA LISEUSE
Toile, 46,5 cm × 39 cm. Vers 1662/63.

Ce qui frappe d'abord dans cette œuvre, c'est qu'elle rayonne de soleil, qu'elle évoque une chaude journée d'été. Ceci, la peinture du XVIIe siècle l'exprime rarement. Pour conserver à la pièce sa fraîcheur, les volets sont à demi fermés. Pourtant la lumière se répand dans la demeure: tamisée, par la fenêtre supérieure de droite, dansante et joyeuse, par la porte ouverte du fond. Des points lumineux qui font songer dans une certaine mesure au pointillisme du XIXe siècle, animent le sol pavé de carreaux rouges aux nuances multiples. Le petit chien foncé est assis face à la lumière et dirige ainsi l'attention de l'œil vers le lointain: on croit distinguer au delà de quelques branches une haie, puis un chemin bordé de hauts peupliers élagués, et enfin quelques maisons. Voilà ce qu'on ‹croit› distinguer, car tout cela est suggéré en miniature, avec un peu de couleur. L'idée de lointain est rendue par une tache blanche dans le ciel, par un mince filet de lumière glissant sur le haut de la porte inférieure et par un fin trait blanc qui détache pour ainsi dire la porte du seuil. Un point, un trait blanc est aussi important dans cette composition – qui est construite aussi mathématiquement que ‹le Cellier› (cf. pl. 33 –) que dans certaines œuvres non figuratives du XXe siècle. Le rythme sévère de carrés et d'angles droits est rompu aussi bien par la lumière que par les différentes formes rondes qui sont autant de notes de fantaisie. La bassinoire de cuivre qui est peinte avec très peu de jaune ramène à l'intérieur l'attention qui s'égarait à gauche par la fenêtre, mais les coussins blancs empêchent le regard de rester accroché au jaune. Les deux personnages de la mère et de l'enfant ont certainement eu de l'importance dès le début pour le peintre. Les attitudes sont bien observées, pourtant ce sont surtout les couleurs, la chaleur du rouge, le blanc, le jaune, le bleu qui renforcent le caractère joyeux et ensoleillé de la scène. Si la bassinoire est peinte en grande partie avec du jaune tirant sur le vert et un peu de rouge, la jupe de l'enfant tire davantage sur le bleu vert. L'enfant forme avec la ligne d'ombre projetée sur le sol, le rose de la surface lumineuse, et l'ombre légère dessinée sur le mur carrelé, un triangle dont le sommet est la bassinoire. Le bonnet pointu de la mère et le profil accusé de son nez sont dirigés vers le bas. L'épée qui est suspendue tout en haut, dans le coin droite, et l'ombre accentuée sur le mur, ont surtout une fonction de stabilisation. À première vue, ce tableau est une charmante évocation d'intérieur, mais ce qui en fait la beauté, c'est le rythme et ce sont les nuances subtiles de la couleur.

34. PIETER DE HOOCH
né à Rotterdam en 1629, mort à Amsterdam en 1683, ou plus tard.

TÂCHE DE MÈRE
Toile, 52,5 × 61 cm. Signé: ‹ Pr d: hooch›; vers 1660.

Pieter de Hooch n'est pas un pur habitant de Delft comme Vermeer. Si on le considère comme faisant partie de l'École de Delft, c'est que ses meilleures œuvres datent de l'époque où il habitait à Delft (1654–1662 environ). La lumière dans un intérieur, la beauté d'un simple mur blanc, les nuances de la brique, tels sont les éléments qu'on admire chez lui comme chez Vermeer. De Hooch a utilisé avec prédilection des couleurs chaudes et l'habillage de ses tableaux a quelque chose de plus vivant, de moins réduit au silence que chez Vermeer. Pourtant les personnages ne forment pas le motif principal. Le peintre a très probablement ébauché ce cellier sans la femme et l'enfant. Lorsqu'on étudie le tableau de près, on voit apparaître nettement une peinture qui se trouvait à l'origine au-dessus de leurs têtes. De Hooch l'a fait disparaître, parce qu'elle constituait un accent trop lourd. Si l'on supprime par la pensée la mère et l'enfant, cette peinture était tout à fait à sa place. Une étude approfondie du rythme de la composition nous amène à penser que De Hooch a construit sa toile à l'aide de carrés, d'angles droits et de triangles; procédé sûrement inconscient, d'ailleurs. De Hooch aimait la lumière qui transforme les couleurs, il mettait son plaisir dans les formes, dans le rythme. Son objet n'était pas de faire une description du mur, du sol ou des fenêtres. Ce n'est qu'après le succès remporté par la photographie qui satisfait à outrance le besoin humain de regarder des images, que l'artiste a pu abandonner tout ce qui ressemble à une description. D'autant plus maintenant que la science enseigne que la matière est énergie. Bien que de Hooch ait étudié à fond la perspective, il suggère l'espace par la lumière qui éclaire le blanc des vitres opaques de la cave, et par le mur blanc qu'on aperçoit par la fenêtre ouverte et qui fait supposer une rue, une distance. Ce besoin inné de formes pures et simples, d'une composition rigide, reparaît au XXe siècle dans les œuvres sévèrement construites de Mondrian. Le processus est alors beaucoup plus conscient.

35. Pieter de Hooch
né à Rotterdam en 1629,
mort à Amsterdam en 1683 ou plus tard.

LE CELLIER
Toile. 65 × 60,5 cm. Signé: ‹P.D.H.›;
vers 1658.

Ter Borch a probablement fait le portrait de la petite fille du pasteur van der Schalcke vers 1644, en même temps que celui de ses parents. Il eut rarement l'occasion de faire un portrait aussi coloré. Rien ne semble plus difficile pour un artiste que de rendre de façon vraiment vivante un petit enfant, surtout lorsque ses vêtements lui laissent peu de liberté de mouvement. En outre les parents souhaitaient avant tout un portrait représentatif. La manière de peindre de Ter Borch, minutieuse, mais sans excès, la concentration avec laquelle il a observé cette enfant, tout ceci donne beaucoup de charme à ce petit portrait. Le blanc est finement nuancé et est merveilleusement animé par l'œillet rose rouge, les nœuds rouges et la chaîne d'or. Le petit panier de jonc tressé avec ses rubans verts foncés est, autant par sa forme ovale que par la douceur du jaune, indispensable pour donner un peu plus de vie à la fillette. La position des mains et un petit plan oblique placé derrière le bras droit, ainsi que la jupe arrondie, donnent l'impression d'un mouvement retenu. Des mèches de cheveux blonds et plats s'échappent du bonnet qui enserre la tête. Les grands yeux sombres enlèvent au visage pointu son accent un peu vieillot. La fillette est debout, sans qu'il y ait d'indications de jambes, alors que sa jupe ne touche pas au sol. Ter Borch a résolu ce problème en un jeu superbe de lignes et de formes, comme ce plan vertical que forme le tablier, nuancé de quelques ombres profondes, et qui accentue la position debout. Contrairement à Jan Steen qui a surtout représenté des gens, en particulier des enfants, en action, Ter Borch est l'artiste du mouvement retenu et du portrait qui lui permet de créer pour son plaisir une harmonie de couleurs fines et tranquilles. Fils d'artiste, il a pu développer son talent de bonne heure. Il a pas mal voyagé, visité l'Angleterre, l'Italie et l'Espagne, mais bien qu'il ait beaucoup regardé les autres artistes, il a su rester lui-même. On ne peut s'empêcher de penser qu'il a pu voir au cours de ses voyages des œuvres de Diego Vélasquez, le peintre brillant des infantes aux amples jupes. Pourtant, même si ce genre d'œuvre a pu l'inspirer dans la composition du portrait d'Helena van der Schalcke, il n'a présenté cette enfant toute simple qui se contentait d'être la fierté de ses parents, que dans son petit monde à elle, un peu fière, curieuse, mais aussi timide. Un fait témoigne de la sagesse et de la modestie de Ter Borch : c'est que, tout en étant familiarisé avec toute sorte d'expressions artistiques, il n'est pas sorti des limites de son talent très sensible, mais aussi très restreint.

36. GERHARD TER BORCH
(Gérard Terborch)
né à Zwolle en 1617, mort à Deventer en 1644.

HELENA VAN DER SCHALCKE, ENFANT
Bois, 34 × 28,5 cm. Vers 1644.

Il est arrivé à plus d'un artiste d'être célèbre en son temps et longtemps encore après, mais de perdre au XXe siècle une grande partie de sa gloire. Aujourd'hui, nous avons d'autres yeux et nos exigences profondes ont changé; le talent anecdotique qui a fait la réputation de plus d'un artiste du XVIIe siècle, ne nous importe plus que pour la connaissance des mœurs et des habitudes de ce temps. Ainsi Philips Wouwerman dont l'œuvre est largement représentée dans beaucoup de collections princières du XVIIIe siècle, a surtout une importance au point de vue de l'histoire de l'art elle-même. Ceci ne nous empêche pas d'admirer la qualité picturale de certaines de ses œuvres. Ses compositions les plus sobres sont d'ailleurs les plus appréciées. C'est qu'alors il peut s'adonner librement à son amour pour le cheval, qui apparaît sous les angles les plus variés dans ses compositions. Il faut ajouter à cela des dons certains de coloriste. Le cheval qui se trouve sur le sommet d'une dune, est dans toute sa simplicité, fort réussi quant au coloris. Étant originaire de Haarlem, ce genre de paysage était familier au peintre, et souvent dans ses tableaux les chevaux marchent dans un sable gris jaune, au bord d'un étang comme on en trouve dans les dunes des environs de Haarlem. Son attention a été retenue ici surtout par les nuances que forment le pelage blanc du cheval avec le gris de la queue et de la crinière, et sur lesquels le rouge chaud de la selle produit non seulement un bel effet de couleur, mais a aussi son importance par la forme elle-même qui donne au cheval une attitude moins lasse. La longue ligne du dos est ainsi logiquement interrompue et les arrondis légèrement ascendants de la selle forment un contraste parfait avec les nombreuses lignes verticales dirigées vers le bas. Le saule étêté constitue à gauche un moyen de fermer la composition, aussi bien qu'un effet d'espace avec les quelques branches qui s'inclinent vers le haut. Le ciel nuageux avec ses tons fondus de gris blanc est destiné à conduire l'œil vers le lointain, mais constitue aussi un arrière-plan coloré pour le cheval. Quant à la composition, le peintre suit le schéma usuel des paysages de l'époque. Le personnage grisâtre qu'on aperçoit en partie à droite n'a d'autre raison d'être que de ménager une transition souple avec le lointain. De même le jeune garçon qui conduit le cheval ne vaut que par sa couleur et sa forme. Bien que Wouwerman soit sans doute parti d'un cheval qu'il connaissait bien, il n'a pas fait là un vrai portrait. L'animal ne pose pas comme dans tant d'autres portraits de cavaliers ou autres tableaux de chevaux. Wouwerman sait donc aussi charmer par le naturel de l'attitude qu'il donne au cheval et qui fait penser à un instantané.

37. PHILIPS WOUWERMAN
né à Haarlem en 1619, mort à Haarlem en 1668.

LE CHEVAL BLANC
Bois, 43,5 × 38 cm. Signé avec monogramme.

La situation géographique et économique des Pays-Bas explique le goût naturel des bourgeois, des marchands et des marins pour les tableaux de mer. Toutefois, il est faux de penser que la peinture hollandaise nous livre une série ininterrompue de marines: la mer, l'eau n'ont inspiré les artistes que de façon sporadique. La grandeur, l'infini, le mystère de cette mer qui apporte et qui emporte, qui enrichit et qui anéantit, son mouvement perpétuel et ses couleurs éternellement changeantes, toutes ces notions n'existent pour ainsi dire pas à cette époque où la représentation concrète des éléments domine. On parle au XVIIe siècle de peintres de mer, mais ceux-ci seraient plus justement nommés ‹portraitistes de navires›. Chez Willem van de Velde le Jeune, c'est aussi la peinture de navires qui domine, mais plus d'une de ses œuvres nous intéresse par son atmosphère. Les nuages et l'eau ne constituent pas seulement un décor pour les bateaux, bien que l'abondance des gris soit très importante pour faire ressortir les voiles blanches ou jaunâtres. Il aime également ajouter à sa composition un nuage blanc causé par un coup de canon. Il s'agit alors avant tout d'un effet de couleur et de lumière. Rien ne suggère que le navire est ébranlé. Tout est lisse et calme comme un miroir. Une petite brise ride légèrement la surface de l'eau et joue dans les cordages. D'une main superbe et sûre, Van de Velde a tracé les lignes minces de ces cordes soulevées par le vent. Son père, dont les lavis trahissent un excellent dessinateur, lui a sans doute inculqué l'amour de la ligne. Mais son second maître, Simon de Vlieger, également peintre de marines, était davantage un coloriste. Dans cette œuvre, c'est moins le portrait d'un navire donné qui compte, que la forme conférée à l'ensemble. Les lignes horizontales en accentuent le côté massif, tandis que les nombreuses diagonales placées dans des directions différentes, ainsi que le grand mât font penser à la navigation. Les voiles pendantes avec leurs ombres puissantes ne correspondent pas seulement à l'indication technique que le navire est à l'ancre. Dans tout le tableau, l'artiste a fait amplement usage du calme qui résulte des horizontales. Par contre avec les dos tendus des rameurs, Van de Velde n'a pas réussi à suggérer le mouvement. Il a été plus heureux en cela avec les trois mouettes qu'on aperçoit au premier plan, et qui, avec l'ombre de la barque, suggèrent l'idée d'espace dans la composition, alors que ni la mer, ni le ciel n'y parviennent.

38. WILLEM VAN DE VELDE LE JEUNE
né à Leyde en 1633, mort à Londres en 1707.

LE COUP DE CANON
Toile, 78,5 × 67 cm.
Signé: ‹W.v.velde J›.

Au cours de la première moitié du XVIIe siècle, et même encore entre 1650 et 1675, il y eut aux Pays-Bas un grand nombre de peintres de réputation internationale, certains même de premier plan. A la période suivante, l'opulence satisfaite et la suffisance se font jour. Les artistes ne sont guère inspirés par la clientèle qui leur commande des portraits. Les scènes de genre, les tableaux domestiques sont particulièrement en vogue auprès de la petite bourgeoisie et les artistes répètent indéfiniment les mêmes thèmes. Parmi ces peintres, Cornelis Troost sut éviter toute fadeur et toute mesquinerie; on lui doit d'excellents portraits et un certain nombre de pastels, représentant des scènes de théâtre, populaires à cette époque, qui témoignent d'un esprit sûr et inventif. Il semble qu'on ait fait beaucoup de musique au XVIIIe siècle. Au XVIIe déjà, on rencontre assez souvent dans la peinture des figures tenant des instruments de musique. Mais il est bien rare que les artistes se soient efforcés de traduire en lignes et en couleurs l'esprit de la musique, sa mélodie et son rythme. Les cubistes au XXe siècle furent les premiers à souligner le rythme et la tension intérieure de la musique.

Troost a traité de façon purement picturale l'instrument adossé contre une chaise à fond violet, en éclairant le brun de reflets lumineux et de lueurs rougeâtres. Nous n'avons pas un instant l'impression que cet homme vient de jouer, ou se dispose à le faire; le livre ouvert, avec les notes sur la portée et le blason familial, produit un effet de couleur et d'espace bien plus important que le violoncelle. Le personnage tient en outre à la main un dessin qui a son importance aux yeux du peintre pour le rythme de la composition et sa couleur, mais qui suggère aussi avec le globe céleste et la bibliothèque entr'ouverte l'éventail varié des talents de cet homme dont le nom nous échappe encore aujourd'hui.

Les tonalités grises de la perruque, du costume et des bas sont traitées de façon vivante; Troost ne peut s'empêcher de transformer une tache de poudre sur l'épaule en accent coloré. Le bleu vif de la doublure de la veste et de la redingote, le blanc de la chemise et des manchettes forment des accents clairs contrastant avec le reste de la composition assez sombre. Le tapis rouge avec ses motifs bleu vert, assez accentués par endroit, sert d'assise puissante à la composition.

La perruque et les vêtements très ajustés caractérisaient la mode de la première moitié du XVIIIe siècle; ces deux éléments qui devraient renforcer la dignité, paraissent souvent artificiels et recherchés. Ceci n'a pas échappé à Cornelis Troost qui, s'il ne s'en est pas moqué à proprement parler, a certainement dû en sourire.

39. CORNELIS TROOST
né à Amsterdam en 1697, mort dans la même ville en 1750.

PORTRAIT D'UN AMATEUR
DE MUSIQUE
Huile sur bois, 72 × 57 cm. Signé et daté: ‹C. Troost, 1736›. A fait partie de la collection Speelman (Londres). Acheté à Londres chez Sotheby en 1958.

Cette vue de ville qui nous frappe au premier abord par sa simplicité et son atmosphère particulière, nous paraît encore plus significative lorsque nous réalisons qu'elle a été peinte en 1809 par un peintre de 27 ans. Il n'est pas question ici de romantisme, ni de complaisance pénible dans l'anecdote détaillée, mais d'une observation intense de la nature et d'un sens extraordinairement sûr du rythme des formes et des lignes. Par cette composition, Troostwijk nous apparaît comme un artiste bien en avance sur son temps. Rien de comparable dans cette toile au ‹portrait› exact et traditionnel de maisons. L'atmosphère nébuleuse caractéristique de l'approche du dégel dissout les formes. La Tour de l'Ouest (Westertoren) elle-même, n'est plus qu'une silhouette vague, dont les lignes verticales – ainsi d'ailleurs que celles des cheminées, du réverbère et des balustrades – confèrent toutefois à l'ensemble sa hauteur et sa stabilité.

Troostwijk obtient un effet de stabilité en largeur grâce au long mur recouvert d'une bande de neige, aux lisières nettes et délicates à la fois. L'impression de délicatesse est suggérée par le fait que cette bande de neige semble se briser au-dessus de la porte à eau; la surface de l'eau est agitée par les vagues et la neige est esquissée sur les berges par des lignes fuyantes et des touches légères. Les arcs des deux portes, celui du pont-levis, ainsi que celui de la roue à demi enfouie dans la neige, montrent clairement quelle importance le peintre attachait au rythme de sa composition, où les lignes droites alternent avec les lignes arrondies. Les petits personnages n'ont aucune fonction propre, si ce n'est de servir la forme et la couleur du tableau. Le rouge et le blanc du vêtement de la femme suggèrent la profondeur du passage. Le cheval et l'homme qui traversent le pont adoucissent le jeu des verticales et des horizontales.

Maisons et portes ont disparu aujourd'hui. Quand on a vraiment pris conscience de l'exactitude mathématique de la composition, on doute de la fidélité de l'artiste aux détails de la situation et de l'architecture des bâtiments.

Plusieurs documents nous apprennent que le talent de Troostwijk a été immédiatement reconnu. Ses œuvres relativement peu nombreuses attestent sa préférence pour le paysage et la peinture d'animaux. Ses esquisses de personnages, ainsi que son portrait par lui-même, d'une facture assez large, prouvent qu'il aurait pu renouveler les conceptions traditionnelles de la peinture hollandaise.

40. WOUTER JOANNES
VAN TROOSTWIJK
né en 1782 à Amsterdam, mort dans la même ville en 1810.

LA PORTE DITE ‹RAAMPOORTJE›
À AMSTERDAM
Huile sur toile. Signé et daté: ‹w.j. van Troostwijk 1809›. Offert par J.J.C. Biesman Simons à la Société Royale d'Archéologie, Amsterdam. Prêté depuis 1902 au Rijksmusée.

Matthijs Maris se trouvait en 1871 à Paris lorsqu'il peignit de mémoire – en utilisant peut-être des esquisses ou une photo – ce ‹Souvenir d'Amsterdam›, et son propos n'était sûrement pas de peindre telle rue ou tel pont. On a essayé, il est vrai, d'identifier cette vue, mais ce qui compte ici, c'est comment l'artiste a rendu ces hautes et puissantes maisons, leur caractère fermé que la clarté du ciel empêche d'ailleurs d'être oppressant; la couleur rouge sombre assez terne de quelques toits, le bleu gris d'une porte et d'un bâtiment, telles sont les seules nuances un peu vives qui s'opposent aux autres tonalités grises, brunes ou blanc terreux. Une femme tient le gouvernail d'une péniche qui passe difficilement à travers l'écluse étroite; elle n'a d'autre raison d'être que la couleur blanche de son bonnet; cette petite tache blanche contribue en effet puissamment à donner l'idée d'espace, tout comme le personnage en noir appuyé sur la balustrade. Un cheval blanc et quelques autres figures aux silhouettes vagues sont également nécessaires à la composition, autant du point de vue de la forme que de la couleur. Toute la composition est basée sur les puissantes lignes horizontales et verticales du pont-levis et les diagonales sombres qui relie celui-ci à la rue. Ces lignes donnent au tableau son espace, son assise et son caractère monumental.

Maris a certainement connu ce genre de ponts dans sa ville natale, mais ceux d'Amsterdam semblent enfermés entre les hauts murs des canaux et des entrepôts et ont sûrement produit sur lui une impression tout autre. Le peintre a dû être saisi au cours d'une de ses visites à Amsterdam par l'atmosphère toute différente de la ville. Lorsqu'il a peint cette image quelques années plus tard, il a traduit l'impression qu'elle lui avait laissée d'une manière tout à fait suggestive pour tous ceux qui ont jamais flâné dans la Vieille Ville.

L'écluse, la petite maison du gardien de l'écluse, les hauts murs qui bordent les canaux, les balustrades et le pont, sont traités presque à la façon de portraits. Le reste est évoqué par Maris à l'aide d'une technique très moderne pour son temps: aucun détail n'est souligné. Lorsqu'il séjourna à Paris entre 1867 et 1872, l'Impressionnisme était en train de naître et eut surtout de l'influence sur son frère aîné Jacob qui travailla également à Paris. Claude Monet était leur contemporain et les deux frères ont sûrement été influencés non seulement par l'Ecole de Barbizon, mais aussi par les fameuses théories de la lumière et de la couleur, alors si révolutionnaires. Matthijs Maris a toutefois été moins connu pour les tendances impressionnistes reflétées par certaines de ses œuvres de jeunesse que par les figures de rêve de ses œuvres plus tardives qui semblent appartenir à un monde fabuleux.

41. MATTHIJS MARIS
né à La Haye en 1839, mort à Londres en 1917.

‹SOUVENIR D'AMSTERDAM›
Huile sur bois, 46 × 35 cm. Signé et daté: ‹M. M. 71›. A fait partie de la Collection W. J. van Randwijck.

Les tableaux où les peintres traduisent les impressions qu'une ville produit sur eux, ne manquent pas. Ce sont bien souvent de véritables ‹portraits de villes› où les personnages ne jouent qu'un rôle secondaire. Rarement les peintres ont su rendre l'atmosphère d'une ville de telle façon que la seule contemplation du tableau suffise à la faire revivre. Le Rotterdamois Breitner a su capter l'atmosphère à la fois tapageuse et silencieuse qui nous paraît aujourd'hui encore typiquement amsterdamoise. Des détails ont changé dans la situation, mais ce sont toujours les mêmes maisons étroites et hautes au bord des canaux, fourmillantes de vie derrière leurs fenêtres, même si leurs habitants sont le plus souvent invisibles. Les bateaux à voile ont disparu des canaux, mais ils sont remplacés par les péniches sombres, égayées de couleurs vives. Au-dessus des toits, on aperçoit encore la tour à jour de la Vieille Eglise (Oude Kerk). Breitner n'était pas homme à donner une description exacte des architectures; ce qui compte pour lui, ce sont les formes de couleur brun gris se détachant contre un ciel nuageux, léger et vaste grâce aux nuances subtiles des gris et des blancs. Breitner est un Impressionniste très exceptionnel. Peu de peintres parviennent comme lui à donner tant de richesse à des tons si sombres. Jamais dans ses tableaux l'atmosphère n'est oppressante, même quand les rues ruissellent de pluie. Le rythme de l'articulation des fenêtres dans une même rangée de maisons est très varié, et de nombreuses nuances de blanc évoquent les rideaux qui signifient avant tout lumière et vie pour l'artiste. Les longs mâts accentuent la hauteur de la tour. Les pointes qui terminent les mâts, les diagonales formées par les cordages et les voiles, par les pignons également, les cercles que constituent une roue et des tonneaux, tout ceci ajouté au rouge vif de l'enfant au premier plan, aux touches de bleu dans les bateaux et les pignons, ainsi qu'aux pointes de jaune, produit une impression des plus vivantes. Breitner était maître de son crayon et de son pinceau. Si la connaissance approfondie des objets lui a toujours particulièrement tenu à cœur, le problème de la lumière qui transforme la couleur en enlevant toute pesanteur aux maisons, aux bateaux et aux personnages, constitua bientôt l'essentiel de ses préoccupations. C'est ainsi qu'il a réussi à suggérer la vie, en se passant entièrement ou presque de personnages. Une peinture comme celle-ci, vue de près et dans ses détails, montre à quel point l'Impressionnisme a préparé la route aux peintres non-figuratifs du XXe siècle.

42. GEORGE HENDRIK BREITNER
né à Rotterdam en 1857, mort à Amsterdam en 1923.

LE ‹DAMRAK› À AMSTERDAM
Huile sur toile, 100 × 150 cm. Signé: ‹G.H.Breitner›. – A fait partie de la Collection A. van Wezel, Amsterdam jusqu'à 1922.

Hendrik Vroom, peintre de navires et artiste consciencieux, n'a probablement pas pu faire d'esquisses de la célèbre bataille qui se termina par la victoire des Hollandais sur les Espagnols. Toutefois, au cours de ses nombreux et lointains voyages sur mer, il a dû étudier à fond les navires. Il devait avoir l'expérience de la piraterie, des combats et des tempêtes. Ce tableau qui au premier abord paraît d'un réalisme affreux, est en fait, tant du point de vue de la composition que de celui du coloris, d'un raffinement extrême et n'a rien de réaliste.

Parmi les innombrables batailles sur mer peintes au XVIIe siècle, il n'en est aucune où la tension dramatique est suggérée avec autant de force. C'est à cet élément que sont soumis tous les détails extérieurs. Des arcs tendus, des ovales suggèrent le gonflement des voiles. Vroom n'hésite pas à représenter une voile déchirée qui ne peut plus se gonfler, ni le gréement d'un mât brisé, réduit à un embrouillamini. En un subtil jeu de lignes, il a suggéré la tension causée par l'explosion. Les deux navires de bois sont condamnés à sombrer, mais Vroom voit plutôt dans l'incendie une superbe harmonie de couleurs. Le grand navire espagnol se disloque; les mâts qui lui sont encore reliés par des cordages, fléchissent. La longue banderole se retourne en l'air, conduit le regard vers l'arc formé par les gens et les objets volatilisés par l'explosion et le ramène ensuite sur le vaisseau hollandais. Les lignes de celui-ci sont plus calmes, mais là aussi le jeu de lignes formé par les mâts et les cordages est d'un effet dynamique superbe. Le vaisseau espagnol, gagné par les flammes, est entouré des voiles gonflées qui forment avec lui une composition fermée et dramatique. Les personnages, nombreux, ont un caractère anecdotique: Vroom n'est pas homme à se laisser émouvoir par la misère humaine. Il songe encore moins à une résistance opposée par un camp impitoyable. De façon tout à fait inconsciente et à l'aide d'objets reconnaissables, il a bâti, en s'appuyant en fait sur un jeu de lignes, de formes et de couleurs, une composition très tense. Les voiles des autres navires renforcent le mouvement. La mer, dont la surface est légèrement ondoyante n'est que le support des navires. Aucun peintre de marines n'a jamais trouvé vraiment important deux facteurs pourtant décisifs dans les batailles navales, celui du vent et de la mer. Pourtant Vroom n'a pas négligé les vagues, surtout celles du premier plan, mais c'est surtout leur couleur qui l'a intéressé. Bien des peintures du département de l'Histoire des Pays-Bas sont intéressantes du point de vue documentaire; cette œuvre de Vroom brille par ses qualités esthétiques.

43. Hendrik Cornelisz(oon) Vroom
né à Haarlem 1562/63, mort à Haarlem en 1640.

La Bataille de Gibraltar (1607)
Huile sur toile, 137,5 × 188 cm. Acquis à Amsterdam, 1905.

Bien des gens doivent leur gloire posthume aux artistes qui ont fait leur portrait. Dans cette catégorie, il faut ranger aussi les femmes d'artistes, devenues célèbres pour avoir inspiré leur mari, une fois ou même à plusieurs reprises. Même aux époques où l'individu n'était pas considéré comme assez important pour mériter les honneurs du portrait, on suppose que plus d'un peintre a dû prendre sa femme comme modèle de sainte ou de figure allégorique. C'est du moins l'avis des historiens lorsqu'un certain type de femme – souvent d'ailleurs légèrement idéalisé – revient à plusieurs reprises dans l'œuvre d'un artiste. Marguerite van Eyck, épouse du peintre flamand Jan van Eyck, est une des premières femmes d'artiste rendues célèbres par leur mari. Aux XVIe et XVIIe siècles on en voit apparaître toute une suite, dont les plus célèbres sont les deux épouses de Rubens, Isabelle Brandt et Hélène Fourment, et les deux femmes qui partagèrent la vie de Rembrandt, Saskia van Uylenburgh et Hendrickje Stoffels. Après la mort de leur première femme, les deux peintres prirent une femme beaucoup plus jeune qu'eux. Là d'ailleurs s'arrête toute comparaison entre les deux artistes, l'un étant Flamand, l'autre Hollandais du nord; de plus, il y a une génération de différence entre eux et leurs deux mentalités étaient absolument différentes. La grandeur de Rubens n'est guère représentée au Rijksmusée que par quelques portraits et par une esquisse à l'huile d'un Portement de Croix destiné à un grand autel. Peintre, mais également homme du monde et diplomate, Rubens insiste souvent sur le côté représentatif. Les bijoux somptueux sont portés avec allure, et c'est surtout leur éclat que rend le peintre. Sous le brillant des perles, on devine la chaleur de la peau; pour obtenir cet effet, Rubens utilise beaucoup de rouge dans les ombres. Le blanc assez froid de la soie est réchauffé par l'or et par les quelques accents de rouge des pierres précieuses. Hélène Fourment a servi plusieurs fois de modèle à son mari. Elle représentait pour cet homme mûr toute une vie jeune, pleine et fraîche, symbole peut-être de la ville si vivante où il demeurait: Anvers. Après les troubles politiques et économiques causés par la guerre de 80 ans, que le diplomate Rubens n'a sûrement pu ignorer, on assiste à une renaissance de la ville. Au point de vue religieux, Rubens est un représentant convaincu de la Contre-Réforme. Il a assumé la vie dans toute sa plénitude et les années de son deuxième mariage conclu en 1630 correspondent à une période très fructueuse de son existence. Ce portrait qui date de 1630–1631 et représente le modèle à mi-corps, est une variante du tableau de l'Ancienne Pinacothèque de Munich donnant une image d'Hélène en pied.

44. Pierre Paul Rubens
né à Siegen (Westphalie) en 1577, mort à Anvers en 1640.

Hélène Fourment (1614–1673)
La deuxième femme de l'artiste, en robe de noces. Huile sur bois, 75 × 56 cm. Réplique du portrait de l'année 1630/31 se trouvant à l'Ancienne Pinacothèque de Munich. Prêté par la ville d'Amsterdam au Rijksmusée depuis 1885.

Les nombreuses représentations de bouquets qui furent exécutés dans les Pays-Bas du Nord et du Sud au XVIIe siècle, pourraient faire penser que les maisons étaient alors remplies de fleurs. Interprétation trop moderne, sans doute. Il est bien rare en effet que ces bouquets souvent très lourds soient entièrement peints d'après nature. Ce sont généralement des compositions de couleurs, dans lesquelles l'artiste a rapproché des fleurs qui ne fleurissent pas en même temps. En outre, l'accent est mis à plusieurs reprises sur les tulipes originaires de Turquie et importées au XVIe siècle. Le fameux commerce de la tulipe qui ruina plus d'un amateur au XVIIe siècle, ne dût pas être étranger au désir de posséder un portrait de ces fleurs souvent si coûteuses. Toutefois elles sont rarement peintes seules. L'œuvre de Jan Brueghel trahit le sentiment de l'homme du XVe siècle qui ‹découvre› la nature et se réjouit en présence de chaque fleur et de chaque plante; jusque là, celles-ci n'étaient vues que comme de simples moyens pour suggérer la nature. A l'approche de la Renaissance, la connaissance des phénomènes de la nature devient but. Il en est de même chez Jan Brueghel, mais la couleur qui le réjouit l'emporte chez lui sur la connaissance. Il ne s'attache pas à rendre logique la disposition des fleurs dans le tonneau de bois. Il serait impossible de réunir dans la réalité de si longues tiges et tant de fleurs dans un seul bouquet. Les grosses fleurs aux tiges lourdes sont placées en haut, et les autres sont entrelacées de fleurs aux tiges minces qui créent un effet de légèreté. Tout ceci n'apparaît qu'après un examen approfondi du tableau. La première impression qu'il produit, est la joie ressentie par le peintre devant tout ce qui vit, mais il n'y a aucun lien entre le bouquet d'une part, et le soleil, la lumière et l'espace de l'autre. L'arrière-plan sombre est d'un effet décoratif, mais qui peut faire paraître la composition trop encombrée. La manière dont Brueghel a traité les fleurs, montre qu'il les connaissait et qu'il essayait de donner à chaque fleur son caractère particulier. Les insectes et les papillons servent à suggérer une vie naturelle et à illustrer la connaissance qu'avait l'artiste de la nature. Brueghel est très minutieux, sans s'accrocher à la description; la façon dont il a rendu la pivoine en témoigne; il met l'accent sur sa couleur, sans peindre chacun des pétales. Lorsqu'on essaie de voir cette composition uniquement du point de vue de la couleur, on admire avec quel art Brueghel a su équilibrer la vivacité du jaune avec la chaleur du rouge, la douceur du blanc et du rose, et le calme du vert et du bleu.

45. JAN BRUEGHEL L'ANCIEN surnommé *Brueghel de Velours* ou *Brueghel des Fleurs. Né à Bruxelles en 1568, mort à Anvers en 1625.*

BOUQUET
Huile sur bois, 113 × 86 cm. Réplique du Bouquet de l'Ancienne Pinacothèque de Munich. Offert par M. et Mme. Kessler-Huelsmann en 1940.

46. PIERO DI COSIMO
nommé Piero di Lorenzo.
Né à Florence en 1462, mort à Florence en 1521.

FRANCESCO GIAMBERTI (1405–1480)
Ébéniste, père de Giuliano da San Gallo.
Huile sur bois, 47,5 × 33,5 cm. Peint vers 1505 après la mort de Giamberti. Prêté par le Mauritshuis, La Haye, au Rijksmusée depuis 1948.

Le portrait de l'architecte ébéniste Francesco Giamberti (mort en 1480) n'a pas été peint d'après nature; pourtant il est très vivant, les détails en sont fouillés et on a l'impression que le peintre a bien connu son modèle. Le soin apporté à la reproduction des rides, des vaisseaux sanguins et des piquants de la barbe est une des caractéristiques de l'art flamand du XVe siècle. De même, le paysage qui sert de fond au portrait et que le peintre a animé de bâtiments et de personnages, suggère aussi l'influence flamande. Il ne s'agit là toutefois que d'une source d'inspiration. Piero di Cosimo a certainement connu aussi des portraits italiens sur médaille, mais il ne les imite pas servilement. Le visage n'est pas placé entièrement de profil et le buste puissant est presque entièrement tourné de face. Ce visage frappe par sa vivacité, son intelligence, tandis que les rides et les coins affaissés de la bouche en accentuent la vieillesse. Les lignes de contour et celles de la bouche mince sont adoucies par le mouvement des cheveux rejetés en arrière sur le cou, par les quelques boucles grises qui se détachent contre le bord ondulé du curieux bonnet rouge, et enfin par l'oreille curieusement pliée. A l'aide de quelques traits minces et nets, l'artiste a suggéré les cils qui contribuent puissamment à la vivacité du regard. La feuille de musique ferait plutôt songer à un musicien qu'à un architecte ébéniste. C'est sans doute que Francesco Giamberti aimait la musique; le petit orgue qui se trouve à l'extérieur de l'église, à droite de la porte, en fait foi également. Cette feuille de musique ferait-elle allusion a une certaine composition musicale? On l'ignore. En tout cas les notes en forme de losange qui émaillent le papier à moitié déplié contribuent à accentuer la tension intellectuelle du visage; impression contrebalancée d'ailleurs par l'arrondi souple de la chemise blanche. Ce portrait très personnel sert de vis-à-vis à celui non moins personnel du fils de Francesco, l'architecte Giuliano da San Gallo, portrait témoignant d'un style plus moderne, exécuté sans doute dix ans plus tard. Au milieu du XVIe siècle, Giorgio Vasari, biographe de nombreux peintres, signale qu'il a vu les deux portraits chez le petit-fils de Giamberti, Francesco da San Gallo. On n'a jamais élucidé comment les deux portraits sont parvenus en Angleterre. C'est par l'intermédiaire de Guillaume III, stadhouder et roi d'Angleterre, et par voie d'héritage, que les deux œuvres se trouvent aux Pays-Bas. Les noms de l'artiste et de ses modèles sont tombés dans l'oubli. Puis on a attribué les portraits à Holbein et à Dürer, ce qui implique qu'on a toujours été convaincu de la valeur des deux tableaux. Ce n'est qu'à la fin du XIXe siècle que le nom de Piero di Cosimo a été remis en honneur.

Pour apprendre à bien connaître Goya, il est nécessaire de se rendre à Madrid. Si les Pays-Bas possèdent beaucoup de ses eaux-fortes, sa peinture par contre est très pauvrement représentée. Goya était déjà âgé lorsqu'il exécuta le portrait de ce juriste de 58 ans. Il y montre toutefois autant de vivacité et d'acuité que dans ses œuvres précédentes. En tant que peintre de la cour, il excella à »donner de l'allure« à ses portraits, mais il était trop bon observateur et il avait trop de personnalité pour jamais flatter le moins du monde ses modèles. Plus d'une fois, il s'est montré impitoyable dans sa manière de suggérer la bêtise et la vanité. Il ne s'est pas non plus adouci avec l'âge, comme en témoigne ce portrait d'un homme certainement très intelligent. Celui-ci nous fait face, debout, l'air réservé, les mains dans les poches, les coudes formant un angle sur les côtés, ce qui suggère son caractère tout en donnant l'idée d'espace. Les pointes du col de la chemise blanche y contribuent également.

La moitié droite de son visage est plus calme, moins véhémente que la moitié gauche, et le portrait est mis en relief par les formes ondulantes de la chemise, du gilet et de la redingote qui constituent une superbe harmonie de rouge, de noir et de blanc. La pointe du col blanc rabattu sur l'épaule gauche est par contre très accentuée et sa forme rappelle l'angle du coude. Cette pointe forme également contraste avec la rondeur charnue de la figure et de l'oreille, et la chevelure bouclée. Goya témoigne dans ce portrait d'une parfaite maîtrise de la technique et de la matière, et d'une mentalité qui trahit une personnalité, mais aussi ses origines espagnoles; rien ne se compare à cette œuvre dans tout le Rijksmusée. Du point de vue international, Goya est certainement l'un des plus grands peintres – si ce n'est le plus grand – de la fin du XVIIIe siècle et du début du XIXe. On retrouve aussi chez lui quelques traits typiquement espagnols, tels que le cynisme allié à une certaine complaisance dans la cruauté. A cet égard, malgré bien des difficultés d'ordre privé, Goya n'a jamais changé au cours de sa vie. Si on compare ses portraits à ceux de Frans Hals, on constate non seulement que ses modèles appartiennent à des milieux tout différents, mais aussi à quel point sa manière de concevoir ceux-ci est différente. Hals saisissait avec autant de pénétration les caractères humains et sa critique n'était pas particulièrement douce non plus. Mais l'attitude réservée, tellement caractéristique de bien des portraits exécutés à la fin de sa vie, résume le ‹mystère unique› de chaque individu. Chez Goya, cette réserve est hautaine et il ne semble pas que l'homme soit jamais pour lui en définitive un mystère impénétrable.

47. FRANCISCO JOSÉ DE GOYA Y LUCIENTES
né à Fuentetodos près de Saragosse en 1746, mort à Bordeaux en 1828.

DON RAMÓN SATUE (1765–1824)
Huile sur toile, 107 × 83,5 cm. Signé et daté: ‹D.Ramon Satue, Alcalde de Corte, Pr.Goya 1823›. Acquis avec l'aide des membres de la ‹Vereeniging Rembrandt› en 1922.

D. Ramon Satue
Alcalde d Corte
R.¹ Goya 1823

Le Rijksmusée possède un certain nombre d'œuvres du pastelliste Liotard. Ce sont surtout des portraits de la société aristocratique du XVIIIe siècle, grâce auxquels nous pouvons nous faire une image de cette époque si portée sur le charme extérieur et l'élégance. Liotard lui-même s'est empressé d'être de la partie. Lorsqu'après un séjour en Italie, il se rendit en Turquie, il fut tellement conquis par cette vie exotique, qu'il essaya à son retour de se comporter comme un Turc. On le vit apparaître à la cour de Marie Thérèse à Vienne, avec une longue barbe et habillé à la turque. La reine accepta cette conduite étrange et lui fit de nombreuses commandes. Nous devons à Liotard des portraits d'elle-même et de ses enfants. Sans aller très loin dans la représentation individuelle de ses modèles, il savait donner une idée des gens qu'il rencontrait au cours de ses voyages. Après son mariage en 1756, il se fixa à Genève. On ignore la date de ce pastel, mais l'artiste a dû l'exécuter à la fin de sa vie. Composition très curieuse, où le peintre se tient très modestement en retrait dans un coin de la toile, contemplant le vaste paysage qu'il aperçoit au-dessus d'un haut mur. Le point de vue d'où il observe ce paysage n'est certainement pas le même que lorsqu'il en fit l'ébauche. Quant à la topographie, elle semble juste dans l'ensemble. L'importance des lignes horizontales, l'accent vertical constitué par la fenêtre de droite, le coin du mur que l'on retrouve parallèlement dans les champs et les prairies du milieu, montrent à quel point Liotard construit consciemment ce motif si inhabituel pour lui. Pour répondre aux sommets enneigés du lointain, il a besoin également d'utiliser ailleurs des effets de blanc. Les lignes rigides des toits sont brisées par les arbres, par le terrain légèrement accidenté, par les arcs formés par la haie et par la vigne capricieuse. L'autoportrait apporte surtout ici une note de couleur. Le rouge vif et le bleu donnent à l'ensemble de la vivacité et une certaine chaleur; en outre, l'emplacement de la silhouette et le col blanc suggèrent la profondeur. La vanité qui caractérisait certains des portraits de Liotard par lui-même, a ici disparu. Il a peut-être pris conscience de son peu d'importance vis-à-vis de la nature. Il n'est pas question ici d'un paysage grandiose; les montagnes ne semblent pas nées d'un bouleversement cosmique. En homme de son siècle, Liotard s'est attaché à rendre la douceur du paysage, sans qu'elle dégénère en romantisme édulcoré, ni en décor.

48. JEAN-ÉTIENNE LIOTARD
né à Genève en 1702, mort à Genève en 1789.

VUE DE GENÈVE
Vue de l'atelier de Liotard. A gauche, le peintre lui-même. Pastel sur parchemin, 45 × 58 cm. Inscription au revers: ‹Vue de Genève du Cabinet peinte par Liotard›. Offert par Mme Tilanus, née Liotard en 1885.

INDEX